Sans traces de pas sur la neige

Jean Louis Fleury

Sans traces de pas sur la neige

Données de catalogage avant publication (Canada)

Fleury, Jean Louis

    Sans traces de pas sur la neige

    ISBN 2-7604-0577-X

    1. Québec (Nord) - Romans, nouvelles, etc. I. Titre.

PS8561.L487S26 1997   C843'.54   C97-941224-2
PS9561.L487S26 1997
PQ3919.2.F53S26 1997

Illustration de la couverture : Serge Brunoni « Panorama nordique »

Infographie: Composition Monika, Québec

Les éditions internationales Alain Stanké bénéficient du soutien financier du Conseil des Arts du Canada pour leur programme de publication.

ISBN 2-7604-0577-X

Dépôt légal: Bibliothèque nationale du Québec, 1997

Les éditions internationales Alain Stanké
1212, rue Saint-Mathieu
Montréal (Québec) H3H 2H7
Tél.: (514) 935-7452
Téléc.: (514) 931-1627

IMPRIMÉ AU QUÉBEC (CANADA)

À ma mère.

Table des matières

Une chasse à La Macaza

Je ne suis pas vraiment adroit pour ce qui est de taper à l'ordinateur. Mon métier, c'est le bois, les animaux. Et dire qu'on m'a toujours pris pour un intellectuel! La paperasse, je déteste. Mais bon, là, je n'avais pas le choix.

Je n'ai pas à me plaindre, c'est allé encore assez vite. J'ai tapé mes trois pages de rapport et j'ai signé: Marc Arnaud, biologiste. J'ai remis le tout à Baillargeon, le chef du service. C'est lui qui transmettra le texte au ministère, puis, j'imagine, qui le fera parvenir à la presse et, bien sûr, à la police.

J'ai dit à Baillargeon que j'étais crevé. Il n'a pas eu de mal à me croire, j'ai une tête de déterré. J'ai ajouté, et je ne jouais pas la comédie, que j'aimerais pouvoir vite oublier ce que je venais de vivre et que j'apprécierais que l'on me renvoie au plus tôt en mission sur le terrain.

Pour la presse, pas trop de problèmes. C'est l'habitude au ministère de l'Environnement qu'on tienne les experts le plus loin possible des pattes des journalistes. Le ministre ou le sous-ministre, voire Baillargeon, en tout cas l'un des trois, répondra aux questions, s'il y en a. La police, j'ai bien peur de ne pas pouvoir m'en tirer aussi facilement. Je doute que Baillargeon réussisse à empêcher que j'aie à revoir les enquêteurs. Faudra être convaincant et leur faire accepter ma version des faits de vive voix. Ça me fait peur. Je ne suis pas un très bon comédien...

Tout cela n'est pas si simple. Je préférerais repartir au plus vite. Je sais qu'une mission du ministère s'en va demain dans le

Nord, près de la rivière Caniapiscau, à la Baie-James, pour du marquage de caribous. Au moins dix jours de déplacement. J'ai demandé d'en être. Baillargeon m'a promis d'y voir. J'attends sa réponse. Je suis seul au bureau. Il neige dehors. Seulement quatre heures et Montréal est déjà toute sombre, prête à la nuit. La neige tombe en nuage. C'est ainsi que c'est le plus couvrant au sol. Je m'ennuie.

J'aimerais bien partir demain pour la Baie-James. On repère les caribous en hélicoptère, puis on choisit une passe étroite entre deux boqueteaux d'épinettes. Pas si simple, il n'y a pratiquement plus d'arbres à cette latitude. Quand la passe est trouvée, on l'obstrue avec un fort filet à larges mailles. L'hélicoptère redécolle et va tourner au-dessus du troupeau. Les pilotes sont joliment adroits. Ils isolent un animal et le rabattent sur le filet. Dès que la bête est attrapée, faut la calmer d'une piqûre avant de lui passer un collier émetteur. C'est là un vrai travail de biologiste sur le terrain, un boulot que j'aime faire. Pas facile. Ça rue des quatre pattes à la fois, un caribou pris, et les sabots, constamment aiguisés au contact de la glace, peuvent être meurtriers. Bien des loups en crèvent quand ils s'attaquent à des bêtes en santé. J'ai souvent retrouvé des carcasses de prédateurs tués dans ces conditions et analysé les blessures : de vrais coups de sabre. Faut dire qu'en fait je m'y connais pas mal plus en loups qu'en caribous. Je suis considéré au ministère comme le plus grand spécialiste des carnassiers au Québec.

Baillargeon m'a dit aussi qu'il avait lu mon rapport et que ça lui semblait correct. Il n'est pas porté sur le compliment, celui-là, et je m'en fous complètement. En tout cas, en voilà un, et pas n'importe lequel, qui a l'air d'accepter mes explications. C'est plutôt bon signe. Il m'a demandé si je connaissais bien Fred Malo. J'ai dit «oui», comme ça, rien d'autre. Il me sait peu bavard... J'ai la tête vide, envie de rien.

Mon rapport est bien fait. Enfin, je pense. Les points que j'y établis me paraissent assez inattaquables. J'affirme que c'est un grand chien devenu sauvage qui s'en est pris aux deux trappeurs et que Fred Malo l'a tué. Un chien, pas un loup. Je renvoie au rapport de la police pour ce qui est de l'accident du trappeur qui m'accompagnait et justifie brièvement, par cet accident, la disparition du corps de la bête. Je brosse un portrait grossier de l'animal, en regrettant de ne pas aller plus dans le détail, n'ayant pu, dans les circonstances, me livrer à aucune étude approfondie de la bête en laboratoire. C'est ainsi, comme je l'explique, qu'il m'est impossible de décrire la paume des pattes du grand chien, un examen que j'aurais aimé pouvoir faire à loisir pour comprendre comment ses empreintes avaient pu mystifier les enquêteurs. J'y déplore encore n'avoir pu procéder aux analyses chimiques qui m'auraient permis de faire des comparaisons avec d'autres cas circonstanciés d'animaux atteints de folie meurtrière à l'endroit d'humains. Je laisse planer l'idée d'une infime possibilité de croisement loup-chien dans les ascendants de l'animal, mais sans y prêter foi. Tout ça pour conclure hors de tout doute que dans ce cas de La Macaza, comme dans tous les autres cas jusqu'ici analysés par ce ministère, les deux mortalités humaines enregistrées ne devaient absolument pas être considérées comme le fait d'un loup.

Et dire que, dans toute cette histoire, c'était ça le plus important pour moi : démontrer l'innocence du loup !

Curieuse affaire ! C'est bien la première fois qu'une mission me venait d'un fait divers. Je ne me souviens même plus lequel avait abordé l'histoire avec l'autre, de Baillargeon ou de moi. Chose sûre, il était inévitable qu'on s'en parle. L'histoire faisait la une de tous les journaux ce matin-là et l'on n'entendait que cela à la radio. C'était, attendez voir, il y a juste quatre jours. Un loup, ameutait la presse, un loup avait tué un trappeur près d'un petit village à deux cents kilomètres au nord de Montréal, La Macaza. Un vieil homme avait été égorgé dans le bois et les uniques traces visibles autour du corps amenaient la police à conclure que seule une bête, en l'occurrence un loup, avait pu le tuer. Dans cette région de villégiature grandement fréquentée à cette période de l'année par des skieurs de tout crin, la nouvelle avait vite créé tout un émoi. On parlait de mesures de sécurité exceptionnelles, de battues avec l'armée.

On s'est dit, Baillargeon et moi, qu'il fallait faire quelque chose. «Penses-y et propose-moi de quoi», avait-il d'abord déclaré, mais une heure après il me convoquait à son bureau. Les enquêteurs de la Sûreté du Québec nageaient complètement à La Macaza et sollicitaient officiellement l'aide du ministère et la participation à l'enquête d'un expert en carnassiers. Naturellement, Baillargeon me choisissait et le sous-ministre, prit-il le soin de me dire, était d'accord.

C'est ainsi que tout cela avait commencé, simplement, normalement, de la quasi-routine...

Je me revois dans l'auto, sur l'autoroute du Nord. Je me sentais raisonnablement motivé. Pour la énième fois, on criait «Au loup!», et moi, l'expert, j'allais devoir de nouveau expliquer et faire comprendre qu'un loup, ça ne s'en prend pas aux hommes, que ça en a bien trop peur, qu'il fallait qu'il y ait autre chose. À moi d'essayer d'aider la police à trouver quoi. J'allais le faire sans envie, sans humeur, sans passion, c'était là mon travail.

Il y avait comme un mélange de boue et de neige sur la route, qui salopait obstinément le pare-brise. J'ai conduit tout le temps aux essuie-glaces. Ce bruit-là, comme toujours, m'a rendu cafardeux. Faut dire que ce petit coin de pays, La Macaza, je le connais bien pour y avoir vécu une partie de ma jeunesse. Même que le trappeur tué, un dénommé Clément, je me rappelais vaguement l'avoir déjà rencontré. Me revenait en mémoire une vieille trogne rougie à la Fernand Ledoux dans *Goupil-Mains rouges*: des cheveux mi-blancs mi-gris débordant d'une tuque de laine sale, une bouche plutôt édentée. C'est pas que Fernand Ledoux soit bien connu au Québec, non, mais je ne suis pas un Québécois comme les autres. Ma mère est française de France, comme on dit ici. Elle était maîtresse d'école dans les Vosges. À la mort de mon père, elle avait décidé de refaire sa vie en venant s'établir au Québec et c'est là, à l'école de La Macaza, qu'elle avait trouvé un poste.

J'étais dans ses bagages, son fils unique. J'avais huit ans. Drôle de petit gars, seul, quelque peu triste, mal coiffé, œil rond, bouche ouverte. Peu sociable, je m'étais cependant assez vite plu dans ce pays-là, mais tout en restant, en même temps, conscient et comme gêné de ma différence. Plus vraiment Français, mais pas non plus Québécois: une pointe d'accent que je n'ai pas, des manières qui ne sont pas tout à fait les miennes... Et pourtant, ce que j'ai pu immédiatement aimer la nature de ce pays et ce village de La Macaza: quelques rues taillées dans la forêt sombre, des maisons souvent pauvres et grises, les fumées des cheminées, le silence épais. Mes souvenirs sont en noir et blanc, ils datent d'avant les hordes de touristes, la neige en couleurs, les hôtels de luxe, les autobus qui chantent. C'est un Québec froid, austère et dangereux qui devint alors mon pays.

Je m'étais arrêté au village voisin de Saint-Faustin où le ministère a un petit bureau. Je connaissais le garde-chasse de service, un dénommé Bontemps. J'avais déjà fait du repérage de loups avec lui, pas dans les Laurentides, mais en Gaspésie, quelques années plus tôt. Un bon gars, calme, fiable, une tête froide. J'ai été surpris de le voir d'emblée donner foi à l'hypothèse qu'un loup ait tué Clément. Il en parlait mal à l'aise mais convaincu. «J'ai vu le corps, Marc. J'ai relevé les traces. C'est bien un loup qui a fait le coup, une fameuse bête, à part ça, des paumes presque aussi larges que mes mains!»

Il m'a montré tous les rapports, les siens et ceux de la police. L'affaire y paraissait simple. Clément revenait à son camp de bois dans un coin désert, trois milles au nord-ouest de La Macaza quand, selon les enquêteurs, il avait été attaqué et proprement égorgé. Je connaissais Bontemps comme un excellent releveur de pistes. S'il confirmait qu'il n'y avait pas d'autres traces dans la neige, autour du corps, que celles d'un loup, il me fallait admettre le fait. Le rapport du médecin légiste confirmait la présence de salive animale sur la plaie et précisait que Clément était fin soûl

13

au moment de l'attaque. Le cœur du malheureux, gravement malade, avait dû céder immédiatement sous le choc. Le médecin ne se prononçait du reste pas sur la cause première de la mort, les plaies à la carotide ou une rupture d'anévrisme, les deux blessures étant chacune mortelles et paraissant, à l'autopsie, simultanées.

Des photos étaient jointes aux rapports: divers plans du site de l'agression, des grossissements des empreintes, la blessure à la gorge de Clément en gros plan... L'enquête aboutissait en toute logique à une seule conclusion: Clément avait été attaqué par un loup, son cœur l'avait lâché, l'empêchant de se défendre, et la bête l'avait tué...

J'étais toujours incrédule, mais abasourdi face à l'évidence. C'est alors que tout s'est précipité. Un policier a téléphoné au bureau de Bontemps. On venait de trouver le corps d'un autre trappeur égorgé dans des circonstances semblables. La Sûreté requérait notre aide immédiate pour procéder aux constatations. Cette fois, de préciser le policier, ce n'était pas à un vieil homme ivre et à moitié mort que la bête s'était attaquée, mais à Claude Sirois, un des trappeurs les plus costauds de la région.

J'enregistrai lentement la nouvelle, comme si je ne voulais pas y croire. J'étais ahuri: je connaissais bien Sirois.

★
★ ★

Perdus dans nos pensées, on ne se parla pas, Bontemps et moi, durant le court voyage jusqu'à l'endroit indiqué par le policier. Bontemps conduisait la camionnette. Moi, je regardais la nature de cette fin d'hiver, figée, hostile, lugubre. Les Hautes-Laurentides: je les connaissais si bien! Plus jeune, je m'étais tellement promené dans ces montagnes, hiver comme été. C'est alors qu'était née en moi cette vocation de biologiste. En fait, mon idée d'enfant était de devenir trappeur. Mais la trappe nourrit mal son homme et ma mère n'imaginait certainement pas son précieux rejeton vivant de la capture d'animaux à fourrure. Élève assez brillant, j'étais finalement parti pour l'université, à Montréal, tout d'abord, puis aux États-Unis, à Denver, au Colorado, où se trouve une des meilleures facultés nord-américaines de biologie animale. J'allais m'y spécialiser dans l'étude des grands carnassiers.

Cela faisait dix ans juste. Je m'étais comme arraché du bois, la chose ne m'avait pas été facile. Du jour au lendemain, il m'avait fallu changer de genre de vie, renoncer à la nature, à mes descentes en canot sur des torrents d'eau claire, à mes longues randonnées de chasse en forêt, au spectacle toujours renouvelé des animaux sauvages... Je devins un étudiant bûcheur et plutôt solitaire, me consacrant totalement à mes études. Ma mère avait pu à la même époque se faire muter à Montréal et je n'étais jamais revenu à La Macaza. Et voilà, j'y étais aujourd'hui, pris malgré moi dans l'engrenage de cette invraisemblable histoire d'un loup qu'on disait meurtrier...

Des policiers contenaient une foule de badauds. Çà et là, au bord du chemin verglacé, des voitures étaient stationnées, nombre d'entre elles arborant les couleurs de stations de radio ou de télévision. Reconnaissant la camionnette du ministère, un policier nous fit signe de le suivre, à pied, dans un sentier de motoneige s'engageant dans une cédrière. L'enquêteur se présenta comme un monsieur Morin, lieutenant de la Sûreté du Québec. Il avait paru soulagé de nous voir arriver. On l'avait avisé de mon affectation dans le dossier à titre d'expert en loups.

J'avais froid. J'étais mal à l'aise, proche de la nausée.

Devant nous, une motoneige renversée barrait la piste. Autour, la neige était foulée et rougie de place en place. Un corps avait été traîné à quelques mètres du chemin. Il gisait là, entre un fossé gelé où le vent avait balayé la neige et un talus couvert de branches mortes enchevêtrées. Tout de suite, l'idée me traversa l'esprit que, dans le fossé comme sur le talus, aucune empreinte n'aurait pu prendre. Mais je ne m'y arrêtai pas tant l'histoire du drame se lisait toute seule dans la neige, ne laissant place à aucun doute. Depuis le corps à la gorge sanglante, de larges traces, les seules visibles autour du mort, revenaient droit à la piste de motoneige. Je me penchai pour examiner la plus proche des empreintes : c'était bien du loup.

J'eus du mal à reconnaître Sirois. Je gardais pourtant un souvenir précis de lui. Je ne l'avais jamais bien aimé. Plus fort que moi, un peu plus âgé aussi, il m'avait rossé, une fois, dans ma jeunesse. Il tolérait mal les immigrants, les «maudits Français» particulièrement. Je ne pouvais détacher mon regard du corps. J'entendais, dans un fond sonore étouffé par la neige, Bontemps et Morin échanger leurs observations.

— Même attaque, même morsure, mêmes empreintes : c'est bien la même bête ! On dirait une embuscade.

— C'est ça. Sirois revenait par la piste vers la route.

— La bête devait l'attendre là-haut, sur la butte en surplomb ?

— En plein ça. On a retrouvé ses traces.

— Elle a sauté : un fameux bond. Elle a renversé Sirois...

— La motoneige aussi. Le moteur a calé dans la neige.

— Bon Dieu ! Faut qu'elle soit forte, Sirois n'était pas un enfant.

— Elle a traîné le corps jusqu'aux branches, par le ruisseau gelé. On n'a pas trouvé de traces de pattes, mais il y a du sang sur la glace. Pis la maudite est revenue au chemin.

— Vous avez suivi sa trace ?

— Oui, un de nos hommes a essayé. À un quart de mille d'ici, les empreintes rejoignent d'autres pistes de loups et ce n'est plus possible à suivre. Comme pour le père Clément. Vous ferez sans doute mieux que nous...

On ne s'occupait pas de moi. Je m'assis sur une souche, fixant toujours les yeux sur le corps et les empreintes. Pour me donner une contenance, je tirai un calepin de mes poches et fis mine d'y noter quelques observations.

Tout était trop simple, la mise en scène trop parfaite. Je ne pouvais croire ce que mes yeux lisaient dans la neige. En même temps, j'étais sûr qu'il serait inutile de chercher d'autres empreintes autour du corps que celles de ce loup aux pattes énormes, et l'état de la gorge de Sirois ne me laissait guère de doute sur les conclusions futures du médecin légiste: «égorgement pouvant avoir été provoqué par une morsure de loup», exactement comme pour Clément. C'était à la fois sordide et irréel... La foutue certitude que quelque chose clochait ne me quittait pas. Mais quoi? La voix, le rire de Fred Malo, le trappeur qui m'avait tout appris du bois quand j'étais enfant à La Macaza, me revenaient en mémoire. «La nuite, p'tit, quand j'dors dans l'bois pis qu'j'entends des loups un peu trop proches à mon goût, j'cogne ensemble l'fer d'ma hache pis l'plat d'ma pelle. Comme les mâchoéres d'un piège qui s'farme. Le loup, p'tit, il a tellement peur de c'te bruit-là que l'lendemain quand j'me réveille y doit courir encore, chus ben çartain!»

Et voilà qu'aujourd'hui un loup s'embusquerait et sauterait sur une motoneige, malgré son bruit et son odeur d'essence. J'ai pensé que Fred ne croirait jamais à une histoire pareille et d'un coup j'ai compris ce qu'il me fallait faire.

Morin, le policier, voulait notre consentement pour faire enlever le corps. Je la lui donnai en lui enjoignant d'interdire toute circulation dans la piste du loup tueur que je me proposais de suivre le lendemain à l'aube. Tout alors était simple en moi et je dus être convaincant: j'allais traquer cet animal, le trouver, le tuer et procéder à des analyses poussées en laboratoire sur la carcasse. Des policiers m'accompagneraient, insista longuement Morin. Je dus argumenter ferme. Ce travail allait être un travail de spécialistes, pas de policiers. J'obtins finalement qu'on me donnât une heure d'avance. Je promis que je laisserais des traces visibles que la police pourrait suivre.

Puis je demandai à Bontemps de m'emmener chez Fred Malo.

★
★ ★

Bontemps me laissa à la porte de la cabane de chasse du trappeur. Fred n'était pas là. Je décidai d'entrer et de l'attendre. Je tisonnai les braises du poêle, remis du bois et m'assis, pris d'une indicible nostalgie. Jeune garçon sans père à La Macaza, différent, écarté de leurs jeux par les autres enfants, j'étais assez solitaire. Fred Malo, notre voisin, vivait également seul, veuf depuis long-temps et sans enfants. Tignasse grise, les traits anguleux, grand, bougon, il n'avait rien d'un grand-père gâteau. Toutefois, allez savoir pourquoi, il allait, à ma surprise constamment renouvelée, s'intéresser à moi. Il avait déjà alors la réputation d'être le meilleur chasseur de loups du Québec.

Un samedi matin d'hiver que je le regardais arrimer sur sa motoneige ses raquettes et sa carabine, il m'avait demandé si ça me tentait de l'accompagner. Ma mère, doutant pourtant bien fort que cela fût raisonnable, avait fini par accepter. Ce jour-là, je me souviens, le grand trappeur avait trouvé quatre castors dans ses pièges. Bonne journée! Il était content. Moi, collé sur son dos, je découvrais la nature et l'hiver. Expliqué par Fred, tout y prenait un sens, des grattis de mulots aux branches rongées par les lièvres, des pistes étroites des cerfs aux larges trous que creusent les pattes de loups dans la neige molle.

Tout était calme et vrai dans la cabane. Un fusil, des cordes et des pièges pendaient au mur. Un grand coffre de bois pour les provisions, un réchaud au naphta sur la table à côté du poêle, sa chaise berçante et deux couchettes superposées constituaient l'unique mobilier. Une seule photo sur le mur, soigneusement encadrée, et c'était lui et moi, gamin, treize ans peut-être, avec deux loups qu'il avait tués. Je me souvenais très bien de cette journée. Nous avions relevé une de ses lignes de trappe les plus éloignées du village. Une randonnée de trois jours. C'était, me semble-t-il, à l'époque de Noël. À notre retour à La Macaza, un Américain de passage nous avait arrêtés pour voir nos trophées. Le bonhomme avait insisté pour que nous posions pour lui avec les deux bêtes et avait promis d'envoyer le cliché. Fred, souriant, me tenait par l'épaule comme on tient un vrai compagnon de chasse. Le bonnet à la main, la chevelure ébouriffée, j'avais l'air hébété. Mais, dans mon souvenir, j'étais fier et heureux ce jour-là, comme à tous mes retours de chasse.

Fred, ma grande amitié de jeunesse. Je passais tous mes congés scolaires avec lui, à la pêche, à la chasse, à la trappe. C'était un peu le père que je n'avais plus, mais un père qui n'aurait été là que pour m'expliquer ce qui me fascinait le plus au monde : la nature, la vie à la dure, la méfiance des outardes, l'appétit des castors, les frayeurs des loups... Alors, bien sûr, je m'attachai à lui. Le bonhomme n'était pas du genre expansif, ne me montrait guère ses sentiments et je craignais toujours de finir par le lasser, de lui déplaire, et qu'il ne m'emmène plus. C'était une véritable hantise. Mais non, année après année je le suivais et ma présence ne semblait pas lui peser, sauf dans ces moments intenses de chasse où le silence est de rigueur. J'avais appris peu à peu à me taire...

Le feu crépitait maintenant, mêlant son odeur de fumée au lourd parfum de lard, de tabac et de résine qui imprégnait la cabane. J'étais bien. Je m'endormis.

Quand je me réveillai, il était là. La nuit était tombée. Il n'avait pas allumé la lampe mais je savais que cette grande ombre adossée à la porte doucement refermée, c'était lui.

— Bonjour, Fred.

— Bonjour, le p'tit Françâ.

Sa voix était enrouée, mal assurée. N'y tenant plus, je me levai vivement et, sans réfléchir, je l'étreignis chaleureusement, ce que je n'avais jamais fait de ma vie. Il parut embarrassé, mais ému aussi, je le sentis bien au ton qu'il avait. «Bonjour, p'tit, bonjour mon p'tit», ne savait-il que répéter. Puis il se tourna, comme gêné de me montrer ses yeux rougis, et entreprit d'allumer la lampe au naphta qu'il suspendit au plafond. Sous la lumière crue, Dieu que je le trouvai vieilli! Trop de saisons étaient passées depuis mon départ, j'en pris conscience d'un coup aux rides du visage émacié de mon vieil ami. Je me sentis vaguement coupable.

— Pis, Fred? Bontemps, le garde, me dit que tu ne vis plus au village.

— Non, j'ai farmé la maison. Chus ben mieux icitte pour la chasse pis la trappe.

— Alors, tu cours toujours le loup?

— J'pourrai jamais m'en empêcher. Tu l'sais ben. C'est une affaire entre eux pis moé. J'te fais un thé?

La haine mêlée de compréhension, cette curieuse combinaison d'admiration et de dégoût que Fred portait aux loups m'avaient toujours étonné. Je l'observai préparant le thé, comme je l'avais si souvent vu faire. L'impression mélangée de bien-être et de culpabilité que je ressentais depuis que j'étais entré dans la cabane ne m'avait pas quitté. Je n'avais pas envie de parler tout de suite de l'affaire qui m'amenait. Je savourais l'intimité retrouvée avec le grand chasseur. On prit notre thé sans rien dire. C'est lui, finalement, qui rompit le silence.

— Tu travailles fort, j'imagine. C'est pour ça qu'tu viens pus jamais dans l'boutte?

— C'est pas seulement ça, Fred. J'ai eu tant de peine quand je suis parti, tu te souviens? On dirait que ça me retenait de revenir. Mais maintenant que j'ai fait le voyage une fois, ce sera plus facile. Tu vas me revoir bien plus souvent.

— Ça vaudra pas l'coup. C'est pus pareil icitte!

— Pourquoi tu dis ça? Je trouve ça toujours aussi beau, moi.

— Oh toé, ben sûr. T'as toujours été d'même à aimer toute c'qu'on t'montrait! Mais moé, chus tanné. J'ai pus qu'la chasse aux loups. Tout l'reste m'ennuie, maudit péché! Y s'passe pus jamais rien dans l'boutte!

— Là, t'exagères Fred! On ne parle plus que de vous en ville avec cette histoire de loups attaquant des trappeurs.

C'était venu bien plus vite que je ne l'aurais souhaité. Il hocha la tête longuement, impénétrable, lointain. Au bout d'un moment, il finit par me demander si c'était pour cette histoire-là que j'étais revenu. Je lui expliquai ce qu'était mon travail de biologiste, soulignant que j'étais actuellement considéré comme le plus grand spécialiste du loup au ministère et que, si j'en étais là, c'était bien grâce à lui. Il prit ça avec gravité, un brin d'ironie dans le regard aussi.

J'essayai d'avoir son idée sur la mort de Clément et sur cette bête qui l'aurait causée. Il ne semblait pas intéressé à en parler. Je mis ça au compte de sa pudeur et de son émotion. Je savais que Clément était un de ses seuls bons amis. J'insistai un peu. En vain. Il restait buté, les traits figés, le regard fuyant. Je lui appris la mort de Sirois dans des circonstances identiques. Il n'en parut pas surpris, visage toujours inexpressif. Alors, je parlai longuement tout seul avec, comme jadis, la simplicité, avec le cœur et une totale confiance. Je lui avouai que moi, le soi-disant grand expert, je n'y comprenais rien du tout. Je lui expliquai que j'avais vu les lieux et le corps dans le cas de Sirois, que cette bête avait de toute évidence tué, mais que je ne pouvais admettre que ce fût un loup. J'implorais de tout mon être sans aucune pudeur ni retenue son opinion, qui ne pouvait différer de la mienne. Il restait silencieux, se balançant avec énergie sur sa chaise, tirant de brèves bouffées de sa pipe. Et moi, comme l'enfant que je n'avais cessé d'être face à lui, je n'acceptais pas son indifférence, son mutisme. Je tentai finalement un grand coup.

— Fred, accompagne-moi demain à l'endroit où on a trouvé Sirois. Aide-moi à pister cette bête.

— Me dis pas qu'c'est toé qui va pister c't'animal?

— C'est moi, Fred, et j'ai besoin de toi.

— Pourquoi?

— Toi seul peux suivre les traces de ce loup.

— Non! Tu peux aussi. J't'ai montré comment faire, non?

Son ton était dur, presque violent. Je me fis suppliant.

— Mais enfin, Fred, tu le sais bien, toi, que ça s'peut pas que ce soit un loup qui ait fait ça.

— C'est pas d'mes affaires!

— Faut que tu m'aides à comprendre ce qui a bien pu se passer. J'ai besoin de toi. Tu connais les loups mieux que personne, bien mieux que moi, allez! Tu le sais, toi, que les loups ne s'en prennent pas aux hommes. C'est toi le premier qui me l'as dit. Te souviens-tu de cette fois qu'on en avait trouvé un blessé au piège à la décharge du lac Cassé et que j'avais peur d'approcher? Tu m'avais bien montré que la pauvre bête avait tellement plus peur que moi.

— C'est dangereux, par exemple, quand c'est blessé un loup...

— Oui, mais là, c'est pas pareil. On dit aux gens qu'un loup a attaqué des humains sans autre raison que de les tuer.

— Pis après?

— Oh non, Fred, on ne peut pas, toi et moi, laisser encore une fois dire n'importe quoi sur ces bêtes. Aide-moi!

— Pourquoi moé, dis-moé, pourquoi moé?

— Mais, parce que je te le demande, Fred.

— C'coup-là, p'tit, tu m'en d'mandes trop...

Le lendemain, à la pointe du jour, Fred Malo me réveillait et tous deux nous partions pister la bête de La Macaza.

★
★ ★

Le vent était assez vif, ce matin-là, soulevant d'épaisses volutes de vapeur au large, sur le lac gelé, face à la cabane. Je pensai machinalement que la glace avait dû céder sur le chenal, quelque peu étonné de la précocité du printemps. Fred avait préparé deux motoneiges. Nous avons mis une heure environ, évitant le chenal, pour contourner le lac et atteindre le lieu où je lui avais dit que Sirois avait été tué.

Une voiture de la Sûreté bloquait l'entrée de la piste. Il fallut de nouveau montrer patte blanche et convaincre le policier de faction que nous souhaitions pister seuls la bête. «Êtes-vous armés, au moins?» bougonna-t-il. Fred, l'air amusé, lui montra sa carabine collée au flanc de sa motoneige. De mauvais gré, il finit par nous laisser passer. L'instant d'après, il se précipitait sur sa radio pour appeler ses confrères.

On arrêta nos engins près de la motoneige renversée de Sirois. À quelques pas de nous, des lambeaux de plastique rouge indiquaient l'endroit où le corps avait été trouvé. Entre eux et nous, toujours bien visibles dans la neige, insolentes, les traces de la bête. Tranquille, un vague sourire sur le visage, le vieux trappeur mit ses raquettes et fit le tour de la scène. Je l'avais trop suivi dans le bois pour ne pas savoir qu'il préférerait se faire son idée seul et je l'attendis, assis sur ma motoneige. Il ne fut pas long à revenir, courbé, inspectant le sol, ses lèvres qui dessinaient une drôle de moue d'approbation ou d'amusement.

— Pas de doute, c'est d'la belle ouvrage!

— Que veux-tu dire, Fred?

— Ben quoi, ç'a ben d'l'air que ta bête a tué Sirois. Pas d'autres traces, l'était don seule. J'ai rien à dire. Pas de doute, c'est d'la très belle ouvrage.

— Sauf que c'est pas un loup qui a fait ça, hein?

— Veux-tu ben m'dire pourquoi qu'toé tu veux pas qu'ça soye un loup?

— Je ne sais pas. C'est comme trop évident. On dirait que la bête a fait exprès de bouger un peu le corps hors du sentier pour qu'on voie bien ses traces à elle.

— Pas bête, c'que tu dis là, pas bête. N'empêche qu'y a pas d'autres traces entre le corps pis la trail. Pas d'autres traces, pas d'autre coupable!

— Fred, es-tu en train de me dire que tu penses toi aussi que c'est un loup qui a tué Sirois?

— Chus en train de t'dire que c'est c'que tout l'monde crérait qui verrait c'qu'on voit là.

— Mais pas toi, Fred, hein? Pas toi?

— Ben, j'sais pas trop... Y a un truc qui m'embête...

Il prit une longue respiration, le regard pensif, manifestement heureux de son effet, et me lâcha, l'air soudainement, malicieux:

— C'qui m'embête, tu voés, c'est qu'ta bête, là, ben elle a pas pissé!

Désarçonné, j'ai mis un moment à comprendre qu'il était très sérieux.

— J'ai bien fait l'tour, ajouta-t-il, pas une goutte!

Le bonhomme avait raison, lumineusement raison, cela m'apparut d'un coup. Un loup, quand ça tue, ça urine un peu partout dans le coin pour bien établir son droit de propriété sur la carcasse, tous les biologistes et les trappeurs vous le diront. Comment avais-je pu ne pas y penser? Je fus pris d'un fol espoir.

— Mais alors, Fred, ça veut bien dire que ce n'est pas un loup qui a fait le coup?

Il éclata de rire:

— Ou ben don, monsieur l'expert, qu'on s'rait icitte face à un loup qui pisserait pas.

«Un loup qui pisserait pas»; je dus avoir l'air dépité. Implacable, le vieux malin m'acheva:

— Et veux-tu ben m'dire pourquoi qu'ça l'existerait pas un loup pas comme les autres?

Il me fixait en souriant, comme s'il attendait que je lui dise ce que maintenant je voulais qu'il fasse. Mais j'étais abattu, déboussolé. Un moment se passa, puis il se décida tout seul et lança après un long soupir :

— Allez, viens, on va la suivre, ta bête !

Sans même ôter ses raquettes, à genoux sur le siège, il démarra sa motoneige et s'engagea sur les traces du loup. Au bout d'un moment, il s'arrêta, le regard rivé à la piste.

— Un homme a suivi la bête jusqu'icitte.

— Oui, hier, un policier, le gars de la Sûreté l'a dit. C'est là qu'il a dû perdre la trace.

— Regarde, la bête a marché un moment dans les traces de trois autres loups. Pas folle c'te bête-là ! Ça complique pas mal le travail de qui veut la suivre. Ben sûr qu'y a pas grand policier pour démêler ça...

— Non, mais nous on va y arriver, hein Fred ?

— Çartain ! Suis-moi, c'est pas comme ça qu'a nous aura, ta bête, va falloir qu'a trouve mieux.

Il filait rapidement, comme s'il se fiait à son instinct, le corps penché le long des traces. Une autre fois, il s'arrêta. Tout en semblant trouver plaisir à sa chasse, il avait l'air soucieux, incrédule. «Drôle de loup, drôle de loup !» marmonnait-il. Tendu, attentif, je crus comprendre ce qui l'intriguait.

— Bizarre, hein, Fred, il a marché dans des traces de motoneige.

— Ah, parce que tu t'souviens encore de d'ça, toé ?

— Tu m'as toujours dit que jamais le loup ne marchait dans des pistes d'homme, qu'il les longeait ou sautait par-dessus...

— En plein ça, mon gars. Décidément, ce loup est pas comme les autres.

— Ou alors, ce n'est pas un loup qui a fait ces traces.

— Ben v'là encore aut' chose! Et ce s'rait qui don qui les aurait faites, les traces, monsieur le grand spécialiste du ministère? T'en connais beaucoup du monde, toé, avec des pieds en pattes de loup? Allez, on continue!

Au bord d'un ruisseau, une troisième fois il arrêta sa machine.

— Oh! Oh! nos affaires se compliquent. Le voilà sur la glace, maintenant, pis quasiment pus d'traces...

— Fred, ça s'peut pas. On entend l'eau en dessous. La glace est toute mince.

— Oui, on va marcher un peu. Tu vas prendre un bord, moé l'autre. Faudra ben qu'a finisse par sortir du ruisseau, ta bête.

— Mais Fred, un loup, sur de la glace aussi fine...

— Bravo, p'tit! T'as ben raison. Non, un vrai loup ne s'aventurerait jamais sur de la glace de même...

Il m'avait regardé affectueusement, comme s'il était fier de moi, fier de constater qu'il avait fait de moi un bon chasseur. Rapidement, il trouva d'autres empreintes et nous reprîmes nos engins. La piste était difficile à suivre. Seul, j'aurais sans nul doute abandonné. La bête semblait avoir des ruses d'homme. Le vieux trappeur ne se fiait plus qu'à l'instinct, repérant de vagues signes, des branches cassées. Moi, les doigts gourds sur le guidon de ma machine, je ne suivais plus que son dos dressé devant moi. Et puis vint un moment où le paysage me parut curieusement familier. Depuis quelques instants, nous suivions des traces de motoneiges toutes fraîches. D'un coup, je me rendis compte qu'il s'agissait des nôtres. Nous étions revenus sur notre piste. C'est alors que Fred arrêta son engin. Un grand sourire éclairait son visage rougi par la course.

— Mais Fred, je ne me trompe pas, nous sommes déjà passés par ici tout à l'heure?

— Y a une demi-heure de d'ça, oui.

— Mais alors?

— Alors, p'tit, la chasse est finie. La bête a gagné.

— Que veux-tu dire?

— Ta bête, là, a faite un grand çarcle, pis est r'venue sur ses traces. L'est ben fine, la maudite. On peut ben la suivre autant qu'on voudra, astheure, on f'ra jamais pus qu'tourner en rond su nos pas.

— Mais, je ne te comprends pas, Fred. Il a bien fallu qu'elle en sorte, de ce cercle-là!

— D'accord avec toé, p'tit, l'a ben fallu... sauf que j'ai pas trouvé sa sortie. On a perdu, faut qu'tu te l'dises. On a perdu. On la r'trouvera jamais, ta bête. Allez, prends ça cool, mon gars, j'vas t'faire un thé.

Et voilà: Fred, le surhomme de ma jeunesse, Fred s'avouait vaincu. Je n'y croyais pas. Je pensais tellement qu'il réussirait, comme je l'avais toujours vu réussir dans le bois. J'avais encore en tête cette étrange impression qui me tarabustait la veille devant le corps de Sirois. Décidément, quelque chose n'allait pas dans tout ça. Quoi?

Machinalement, je suivais des yeux les gestes de mon vieil ami en train d'alimenter un petit feu et de faire fondre de la neige. Il me fallut là encore un moment pour comprendre l'insolite de ce qui peu à peu m'apparaissait. Sous les branches mortes que Fred dégageait d'un tas en bordure de piste pour passer dans son feu, la neige était foulée. Je regardai plus attentivement. Il y avait là, presque imperceptible, une légère empreinte de motoneige qui quittait la piste et paraissait s'enfoncer dans un bois d'épinettes fournies. En proie à une grande agitation, j'écartai le reste du bois mort qui dissimulait parfaitement les traces et me tournai vers le grand trappeur. Il m'observait. Il sourit. Bien avant moi, bien sûr, il avait vu les traces. Ce n'était pas par hasard qu'il avait fait là son thé. Alors, alors seulement, je commençai à comprendre.

— Fred, cette trace?

— Oui, p'tit?

— Un homme a quitté la piste ici, c'est ça?

— Ça en a tout l'air.

— Mais alors...

— Oui, p'tit?

— Alors, ça peut aussi bien vouloir dire, n'est-ce pas, que cet homme-là a imaginé tout ce simulacre de piste de loup qu'on vient de suivre, nous autres?

— Ça peut vouloir dire ça, oui.

— Rendu ici, sa boucle fermée, persuadé que désormais ses éventuels suiveurs ne pourraient plus que tourner en rond, il a quitté la piste. Suffisait qu'il dissimule les traces qu'il laissait en sortant sous ce tas de bois...

— En plein ça.

— Et toi, toi, tu savais que ces traces d'homme étaient là?

— Ben sûr.

Il nous servit le thé puis, adossé à sa motoneige, il sortit son harmonica, sa «musique à bouche», comme il disait, dont j'aimais tant qu'il joue le soir quand on bivouaquait et que mourait le feu. Il joua en me fixant intensément, comme pour m'encourager dans ma réflexion. À la fin de son petit air, j'avais compris, je crois, tout ce qu'il avait voulu que je comprenne.

— C'est toi la bête, hein, Fred?

— Ben sûr.

— Mais alors, pourquoi être ici avec moi, pourquoi m'avoir guidé?

— Tu me l'as demandé...

— Mais fallait me dire non, Fred.

— Un homme peut pas échapper à son destin.

— Je me serai perdu cent fois sur cette piste...

— P'tête oui, p'tête non. J't'ai fait bon chasseur!

— Cette dernière trace de motoneige sous les épinettes, je ne l'aurais jamais trouvée. Tu le sais bien.

— A mène drette à mon lac. Ma cabane est juste de l'aut' bord.

— Mais, pourquoi tout ça, Fred, pourquoi?

— Je m'sentais vieux, pis seul, tu sais p'tit. Je m'ennuie... Pus rien est comme avant, pour moé dans l'bois, d'puis...

— Depuis quoi, Fred?

— Ben oui, p'tit, j'peux ben t'le dire, d'puis qu't'es parti. Oh! c'est pas d'ta faute, pis j't'en veux pas, allez. Tu pouvais pas l'savoér. Moé non plus d'abord, j'aurais pas cru qu'c'était pour m'faire ça. Qu'est-ce tu veux, j'aimais ça t'avoér avec moé dans l'bois, t'montrer des affaires, répond' à toutes tes maudites questions, te voér grandir pis aimer toute c'que j'aimais. J'me doutais ben qu'un jour tu t'en irais, mais pareil, c'est bête à dire hein, pareil j'ai pris ça pas mal dur quand t'as pus été là. J'me sus r'trouvé seul, un peu trop seul... Tu comprends, j'avais pus l'habitude. J'avais perdu mon p'tit chasseur, mon p'tit Françâ... mon p'tit gars, quoi...

Je balbutiai:

— Je n'imaginais pas, Fred...

— Tu pouvais pas l'savoér, j't'l'ai dit... C'est pas grave, va...

— Et dire que je ne t'ai même pas envoyé de nouvelles.

— J'attendais rien.

— J'aurais pas cru que...

— Bon, laisse faire mon p'tit. Toute ça c'est fini.

Il était gêné, maladroit, touchant. Je le regardai longuement sans chercher à dissimuler l'émotion que je ressentais. Je ne trouvais pas les mots à dire. Je n'aurais jamais pensé que le rude bonhomme pût un jour si simplement m'en exprimer autant.

C'était comme si je me réveillais d'une longue torpeur et me découvrais coupable, infidèle, ingrat. Comment avais-je pu l'oublier pendant tant d'années? Il détourna finalement son regard de moi, et, songeur, s'accroupit en tendant ses mains aux flammes. J'étais désespéré, ne savais plus quoi faire. Et puis l'horreur des photos des blessures de Clément et la gorge béante de Sirois me revinrent en mémoire. J'osai poser la question:

— Mais Fred, comment as-tu pu tuer?... Et deux fois en plus de ça?

Le regard fixe dans les flammes, il mit longtemps à me répondre. Il le fit d'une voix calme et basse.

— C'est ben plus simple qu'il y paraît, va. Clément savait qu'y était pour mourir. C'est lui qu'a eu l'idée d'la bête. Y avait passé sa vie dans l'bois, l'vieux fou, ça fait qui voulait pas mourir dans son lit. D'mande-moé pas pourquoé. Y voulait une belle mort, une mort de trappeur, comme y disait, pis, pour lui, une belle mort ça pouvait pas êt' dans une maison, mais dans l'bois, avec d'la mise en scène, qu'on en parle dans l'pays. Y'a mis du temps à m'décider, par exemple! Mais y'a fini par me convaincre...

— Je ne comprends pas. Il t'a convaincu de l'égorger?

— Mais non, attends. On a d'abord fait not' machine...

— Quelle machine?

— Ben, l'rouleau à faire les empreintes. Clément avait d'jà vu faire ça par un de ses chums du temps qu'y travaillait à Baie-James, au tout début d'la construction des barrages, dans les années soixante-dix. Y avait là des biologistes comme toé qu'avaient fait un sentier d'sable au bord d'un lac pour relever des empreintes. Pour les niaiser, l'gars avait comme ça patenté un rouleau pis mis après des bouttes de bois qu'il avait sculptés en forme de pied à trois doigts d'un animal imaginaire. L'attrape avait tellement bien marché qu'les biologistes sur les dents parlaient de faire venir du monde de Montréal pour les aider à trouver c'que ça pouvait ben êt' que c'te bête inconnue. Finalement, mort de rire, le gars avait avoué...

Bon, nous on s'est gardé les pattes gelées du plus gros loup qu'on a tué c't'hiver. Un mâle, pis un maudit gros, à part de d'ça. On a fixé ça solide après un cylindre à rouler l'gazon. On a mis un bon boutte de corde après l'axe. C'te machine-là, a'l était parfaite. Avec ça, un enfant de cinq ans aurait pu faire des pistes de loup dans neige fraîche.

— Et tu as tué Clément...

— Mais non, p'tit. Comment tu peux croére ça? Y est ben mort tout seul! On savait parfaitement c'qu'on f'sait toués deux. Quand Clément a senti qu'c'était la fin, y m'a appelé. Ça f'sait deux jours qu'y prenait pus ses r'mèdes. On a pris un coup pas mal solide les deux. J'te l'dis, y savait ce qu'y f'sait. Le médecin l'avait ben prévenu qu'une brosse, dans son état, ça y s'rait fatal. L'alcool m'a aidé, moé itou, à faire c'qu'y voulait que j'fasse... pour sa blessure au cou, j'veux dire. Et j'l'ai faite quand ç'a été l'temps, dès que j'l'ai vu parti pour de bon, ben mort, pus d'pouls à son poignet. Une affaire entre lui pis moé. M'en parle pus!

— Mais la mise en scène...

— C'est moi qu'ai toute faite. On avait ben préparé not' coup avec Clément, tu sais. J'ai tiré sa motoneige darrière la mienne, là oussequ'y-z-ont r'trouvé l'corps. J'ai disposé l'mort comme on s'était dit qu'on f'rait, pis j'ai mis d'la bave de loup qu'on avait gardée dans un p'tit pot sur sa blessure au cou. Après ça, chus parti en motoneige en laissant des traces de mon loup pas mal compliquées à suivre comme celles-là qu'on a suivies toués deux à matin.

— Mais tes traces à toi, comment as-tu fait pour qu'on n'en trouve pas près du corps?

— Bof, y a pas grand-chose là! Un trappeur sait faire ça! On passe sur la glace pas d'neige d'un fossé gelé, on en sort sur un tas d'branches ousséqu'la neige a pas pu prendre. C'est pas toujours facile, mais ça s'trouve. Les autres, après, y voyent rien qu'les grosses traces de loup qui leux crèvent les yeux...

— Ce n'était donc que ça, l'affaire de La Macaza: une farce de vieux trappeurs. Vous pouvez dire que vous avez réussi votre coup.

— Non!... Y a eu Sirois. Y était pas bête, le malfaisant. Y a tout d'viné pis y s'est mis dans tête de m'faire chanter. J'l'aimais pas! Tu l'sais. J'l'ai jamais aimé! Des histoires de trappeurs! Pour moé, l'bois, c'est un jardin, pour lui, c'tait un supermarché! J'y avais jamais pardonné non plus d't'avoir battu, tu t'en souviens d'ça, hein! C'tait une affaire qu'était restée ent' lui pis moé. Ça fait qu'la chicane a pogné. Écoute-moé, p'tit, écoute-moé ben. J'cré ben qu'y a qu'à toé que je l'dirai pis j'veux qu'tu l'saches: c'est lui qui l'premier a sorti son couteau. J'ai fait qu'me défendre, pis j'étais l'plus fort des deux, c'est toute.

— Et tu t'es resservi de la bête.

— Oui, ça m'est v'nu d'un coup pendant qu'on s'tiraillait. J'ai frappé au cou... pis j'ai arrangé l'affaire, comme pour Clément. Pas vraiment que j'voulais m'en tirer, c'que j'ai fait, je l'regrette pas. Non, mais, pour voér ousséque tout ça mènerait, pour chasser l'ennui... Et pis te v'là, toé, mon p'tit gars... et ça farme le çarcle.

Le feu s'était éteint. Nous restions là, chacun perdu dans ses pensées. Soudain, il tressaillit. Au loin, porté par le vent, on entendait un bourdonnement de motoneiges. La Sûreté du Québec était sur nos traces et serait bientôt là. Il se redressa lentement et, sans prendre la peine de dissimuler nos traces, comme s'il lui était égal que les policiers puissent prendre notre piste, il monta tranquillement sur sa motoneige et me dit de le suivre jusqu'au lac.

Nous descendîmes à petite vitesse, laissant derrière nous l'empreinte de nos machines bien visible dans le sous-bois. Rendu au bord de l'eau gelée, il s'arrêta. Je conduisis machinalement mon engin à côté du sien. J'étais désemparé, incapable de penser de façon cohérente, dépendant entièrement de lui comme aux plus beaux jours de chasse de ma jeunesse. Lui fixait la vaste étendue blanche du lac, l'air grave.

— Qu'est-ce qu'on va faire, Fred?

— Tu leux diras c'que tu voudras.

— Tu sais bien que je ne te dénoncerai jamais.

— Tu f'ras c'que tu crois qu'y faut faire.

— Mais pour les loups, Fred? Je ne peux tout de même pas, comme scientifique, me ranger à cette idée d'un loup tueur d'hommes.

— T'as p'tête raison, p'tit... Écoute! Ç'aurait pu être un chien... Tu leux diras comme ça qu'c'était un chien fou, malade, à moitié sauvage, qu'à la fin, j'l'ai traqué tout seul, pis que j'l'ai tué, tu sais pas trop où.

— Ils voudront voir le corps...

— T'auras qu'à dire que j'l'avais gardé, qu'y était avec moé s'a motoneige.

— J'te comprends pas, Fred...

— Descends d'ta machine pis bouge pas d'icitte, mon p'tit! J'te l'interdis, tu m'entends!

Son ton était sans réplique. Subjugué, je lui obéis sans réfléchir et me retrouvai debout dans la neige, les jambes molles.

— Et dire qu'y a fallu que ça soye toé qui m'envoye pour démêler tout ça... Pauvre p'tit...

Il me sourit tristement puis embraya à grand bruit le moteur de sa motoneige et partit à toute allure sur la surface gelée du lac. Deux fois, trois fois peut-être, il se retourna, comme pour s'assurer que je ne le suivais pas. Mais je restai là, figé sur la rive, et ne fis pas un geste.

Un peu avant le chenal, il disparut dans la vapeur.

Et d'un seul coup, ce fut le silence.

Deux vies du Nord au Sud

Le boiteux surprit fort Marcelline qui l'avait conduit jusqu'à la porte du cimetière lorsqu'il lui demanda qu'elle le laissât seul. Elle tenta bien de l'accompagner plus avant, mais il ne voulut rien entendre, lui remit un généreux billet et s'en fut parmi les tombes.

Le soleil venait de se coucher et la nuit s'annonçait sombre. La petite n'avait pas peur du noir. Elle savait quel mort allait voir l'étranger. C'est elle qui lui avait indiqué comment se rendre à la tombe. Furtive, silencieuse, elle glissa dans l'ombre et n'eut aucun mal à le suivre sans qu'il s'en aperçût.

Claudiquant péniblement, l'homme finit par atteindre son but. Il posa sa canne et parut se recueillir. Marcelline l'observa ainsi pendant de longues minutes. Son intérêt finalement émoussé, elle se préparait à filer quand elle arrêta son geste: l'inconnu s'était mis à parler.

*
* *

Quel spectacle, mon Dieu, quel spectacle! Ces tombes sous les étoiles, l'océan, ces bruissements de vie autour de nous, la chaleur, et moi, ici, moi... Il fallait que je vienne. Il fallait que je voie cet endroit... Je vais m'asseoir. Je fatigue. Je parle, je parle. Je voudrais me rendre les choses un peu plus faciles. Oh, je ne raconte pas bien, je sais. Voilà, je m'étais dit: si je m'en sors, faudrait que j'aille là-bas. Et je m'en suis sorti et je suis ici...

L'inconnu se tut. Un long silence se fit sur le cimetière. La petite métisse ne pouvait plus détacher ses yeux du boiteux, qu'elle devinait dans le crépuscule. Il lui avait paru jeune, gêné, mais assez agréable. Elle le regarda remuer de sa canne le sable du bord de la tombe. Il semblait mal à l'aise, malheureux. Sans doute sa jambe le faisait-elle souffrir. Et puis de nouveau il parla. Les phrases arrivaient parfois entrecoupées de silences, parfois chuchotées, presque inaudibles... Marcelline écoutait.

★

★   ★

Comment expliquer ça aux autres? Je vous l'ai dit, je raconte mal. C'est que, depuis mon accident, on dirait que plus rien n'est vraiment clair dans ma tête. Là-bas, à Grande-Baleine, ils disent comme cela qu'un homme ne peut pas revenir entièrement de ce que j'ai vécu... Grande-Baleine, imaginez, quasiment les antipodes d'ici, le grand nord du Québec. Un pays dur de neige, de glace, de silence et de mort: la terre de Caïn, comme ils disent. Non, ce n'était pas un pays pour moi. Ti-Nours, oui, c'était le bonhomme pour vivre là, mais moi, oh que non!

J'y étais pareil. Ti-Nours? Je vais vous dire... C'est d'autres gars de chantier comme lui qui lui avaient donné ce surnom-là: Ti, pour petit, par dérision, il était tellement grand; Nours, pour ours, par respect, il était tellement fort... Je peux bien le dire, allez, si je suis ici cette nuit, c'est pour lui, pour Ti-Nours...

Tout ça s'est passé en haut du cinquante-cinquième parallèle nord, quelque part entre la Caniapiscau et la rivière aux Feuilles, en février dernier. L'après-midi dont je parle, il me fallait localiser différents sites en pleine toundra pour en choisir un propice à l'établissement d'une tour de relais micro-ondes. Frais diplômé ingénieur en télécom, j'avais été envoyé comme coopérant français au Québec. Un séjour de seize mois m'évitant de faire mon service militaire: une aubaine.

Ce jour-là, je devais dégager quelques aires boisées, poser des repères au sol, arpenter grossièrement les sites et faire quelques prélèvements de rocs de surface. J'avais besoin d'un bûcheron et la direction du chantier m'avait assigné le plus fort des hommes du camp: Ti-Nours. Un hélicoptère nous avait laissés en pleine brousse gelée. Il devait revenir nous chercher le soir même.

Je ne connaissais pratiquement pas mon compagnon, sinon de réputation. On le disait dur à la tâche, bourru, peu bavard, en fait un peu fruste.

On travailla trois bonnes heures d'affilée, Ti-Nours et moi, sans presque se parler, ce qui était plutôt une bonne chose, puisque nous avions assez de difficulté à nous comprendre compte tenu de son accent mal dégrossi de gars de bois et de ma faconde française qui le déroutait. Je marquais des sites et lui les défrichait, je prenais mes mesures et on remettait ça un peu plus loin.

Vers quatre heures de l'après-midi, on s'arrêta un moment, le temps, pour moi, d'avaler un casse-croûte. Je m'assis. Lui resta debout. Il semblait mal à l'aise, tendu, comme inquiet... Je tentai plus ou moins adroitement d'échanger quand même quelques banalités avec le bonhomme.

— Eh bien, monsieur Ti-Nours, vous ne mangez pas?

— Non.

— Vous ne coupez jamais l'après-midi avec un casse-croûte?

— Non.

— Il parut faire un effort, puis ajouta:

— J'mange plutôt l'soir à cantine, moé.

— Comme ça, les sandwiches, ce n'est pas votre fort, hein?

— Quèssé vous voulez dire: «vot' fort»?

— Vous n'aimez pas trop les sandwiches, quoi?

— Pas ben ben, non...

— Et vous ne vous assoyez pas?

— Pas quand y fait frette pis qu'j'ai chaud d'même...

— Quelque chose vous ennuie? Vous avez l'air préoccupé.

— Ouais. Ça sent la tempête. Si l'hélico vient pas nous charcher tusuite, j'cré ben qu'a pourra pus v'nir apra...

— Je n'aimerais pas qu'il vienne tout de suite. Si cela devait être le cas, il faudrait assurément que nous revenions une autre fois. C'est que vous savez, Ti-Nours, nous sommes en fait assez loin d'avoir terminé ce que je voulais que nous fassions en explorant cette zone aujourd'hui...

— Quèssé vous dites? Vous parlez trop vite, j'comprends pas. Oubedon c'est votre accent. C'est pas grave, anyway...

— Allons bon! Êtes-vous si sûr de votre tempête? On ne dirait pas qu'il va neiger.

— P'tête qu'on l'dirait pas, mais a s'en vient pareil!

— Le ciel n'a pas l'air si chargé que cela...

— C'est pas d'la neige qui va tomber, mais d'la poudrerie qui va l'ver. C'est la même chose pis ça va pas êt' drôle t'a l'heure!

— De la «poudrerie», dites-vous?

— Ouais, c'est quand l'vent souffle la neige de par terre.

— Et puis, en mettant les choses au pire, elle peut faire quoi, votre poudrerie, monsieur Ti-Nours?

— Si l'hélico vient pas, ça va faire qu'on va êt' pris pour coucher icitte, dans l'bois.

— Eh bien, qu'à cela ne tienne, nous dormirons à la belle étoile!

— Des étoiles, z-en verrez pas. On voit rien dans poudrerie!

— C'était une expression. Mais cela vous est déjà arrivé, je suppose, de devoir passer une nuit dans la tempête, non?

— À moé, ouais.

— Eh bien, vous me montrerez...

Et nous nous étions remis à la tâche. Le gros bûcheron ne s'était pas trompé. En quelques dizaines de minutes, le vent prit une force inouïe, nous secouant en longues rafales et nous aveuglant de poussière neigeuse. Très vite, il nous fut impossible de continuer à travailler. Au début de la tempête, il avait bien semblé à Ti-Nours entendre un lointain bruit d'hélicoptère entre deux hurlements de vent. Peut-être avait-on essayé en vain de venir nous chercher. Mais il fallut bien nous rendre à l'évidence, nous allions devoir passer la nuit dehors dans des conditions fort précaires.

Je tentai de prendre les choses à la légère. Après tout, comme il est de règle pour les travaux nordiques menés hors des camps de base, nous avions chacun un sac de survie fort bien adapté aux conditions extrêmes dans lesquelles nous nous trouvions. L'expérience pourrait en fin de compte avoir du bon. En tout cas, elle ne me semblait alors ni dramatique ni insurmontable. Surtout, et même si j'étais loin d'être aguerri à ce genre de situation, je ne voulais en aucune façon donner l'impression au bûcheron québécois que j'étais effrayé ou que je risquais de devenir une charge.

— Il va donc nous falloir coucher ici, n'est-ce pas monsieur Ti-Nours?

— Non, pas icitte. J'vas trouver une meilleure place.

— Je voulais dire «dehors». Nous allons devoir coucher dehors. Bon, allons-nous construire un abri? Comment suggérez-vous que nous procédions?

— Hein? Laissez faire. J'vas m'occuper d'toute!

— Mais je tiens à faire ma part.

— Attendez-moi icitte. J'vas chercher une meilleure place.

Et avant même que j'aie pu répliquer, le bonhomme m'avait tourné le dos, me plantant là dans la tempête, inutile et décontenancé. L'absence totale de manières du géant commençait à m'agacer sérieusement. Après tout, des deux, c'était tout de même moi le responsable, le supérieur hiérarchique. Ces choses-là comptent sans doute moins au Québec qu'elles peuvent compter en Europe, mais quand même. Je me promis de remettre le bonhomme à sa place à la première occasion. Reste que je fus soulagé de le voir resurgir du brouillard au bout d'un moment qui, ma foi, m'avait paru fort long.

— J'ai trouvé un coin pas pire. On y va.

— Je vais prendre des affaires.

— Non. Laissez faire. C'est pas mal dur à marcher dans poudrerie. J'r'viendrai les charcher. Suivez-moi.

Il avait balancé son énorme tronçonneuse sur son épaule et m'avait de nouveau tourné le dos avant même que j'aie pu ajouter un mot. Un fort sentiment d'insécurité me prit en voyant son épaisse silhouette rapidement s'estomper dans l'espèce de brouillard neigeux qui nous entourait et je me pressai de lui emboîter le pas, m'efforçant tant bien que mal de glisser mes raquettes dans ses empreintes.

L'endroit qu'il avait trouvé et où il eut tôt fait de nous conduire était parfaitement choisi. C'était une passe relativement abritée entre un amoncellement de rochers et quelques épinettes denses. Le vent n'y parvenait qu'à peine. L'accumulation de neige molle et épaisse au sol en était la meilleure preuve.

Il déposa soigneusement sa scie sur des branchages et retourna sur nos pas chercher le reste de nos affaires, non sans m'avoir rudement demandé au préalable de ramasser du bois mort pour faire du feu.

Il m'avait commandé ça sans même me regarder, sans aucun ménagement, comme on demande à un enfant de mettre la table, histoire de l'occuper et de gagner un peu de temps.

Alors, parce qu'il commençait vraiment à me pomper l'air, par bravade aussi, pour bien lui montrer que je ne recevais pas d'ordre et que je faisais comme je l'entendais, j'empoignai sa lourde tronçonneuse et la mis en marche. Il voulait du bois mort, qu'à cela ne tienne ! J'allais lui en couper, moi, et du gros ! Et s'il voulait du plus petit bois pour allumer son feu, eh bien, ma foi qu'il se le ramasse lui-même.

Tout alla très vite. Je n'ai jamais très bien compris ce qui avait pu se passer. Pourtant, je m'étais déjà servi de scies du genre, moins grosses peut-être que celle de Ti-Nours, mais enfin je me sentais en contrôle. Il commençait à faire sombre. Je ne voyais pas très bien ce que je faisais. La neige molle recouvrait mes raquettes, en fait j'y enfonçais à mi-mollet alors que j'attaquai de l'engin la base d'un tronc d'arbre mort entre mes deux pieds.

Le tronc de l'arbre était-il pourri, est-ce moi qui forçais trop sur la tronçonneuse, est-ce cette machine qui était trop puissante, sans doute un peu des trois raisons. En tout cas, brusquement, beaucoup trop rapidement, l'arbre n'opposa plus aucune résistance aux dents de la tronçonneuse. Je vis mon sang gicler dans la neige avant de sentir la douleur. Elle m'assaillit subitement. Je lâchai la scie qui s'étouffa immédiatement en tombant dans la neige molle. L'arbre s'affaissa doucement d'un côté, et moi de l'autre.

Je me souviens avoir hurlé un bon coup, puis je perdis connaissance.

Lorsque je revins à moi, Ti-Nours était là, à genoux à mes côtés, son bras soutenant ma tête. Il regardait ma jambe, une grimace désolée abêtissant son gros visage.

Je ne l'avais jamais vu de si près. Il me vint à l'esprit qu'il était laid, les traits grossiers. Curieusement hargneux, je fus à deux doigts de le lui dire. Je lui demandai sans grand ménagement de me mieux installer. Il le fit avec bien plus de précautions que je ne m'en serais attendu d'un homme de sa corpulence et de son peu de façons. Je me sentais absolument incapable de bouger, de me mobiliser pour m'adapter à ce qui m'arrivait. Tout cela me semblait totalement irréel, mais le mal était atroce. Je réalisai parfaitement que si le bûcheron ne faisait pas immédiatement les gestes qu'il fallait, je n'aurais pas la force d'endurer la douleur bien longtemps.

La nuit était maintenant tombée. La tempête ne cessait pas. Il m'installa du mieux qu'il put en m'adossant aux rochers. Sans cesse, il regardait ma jambe, l'air impuissant, consterné. On aurait dit qu'il avait peur de me parler. Me semble n'avoir jamais tenu plus que ça à la vie, mais une espèce d'instinct de conservation m'amena à cette minute à rompre le silence. Il parut soulagé que j'en prenne l'initiative. Curieusement, cela ajouta à l'envie bien ancrée que j'avais de le bousculer.

— Qu'est-ce que vous attendez, Ti-Nours, il faut dégager la plaie!

— Voilà, voilà... Dites-moé c'qui faut que j'fasse maintenant. C'est pas beau. Ça saigne encore fort, m'sieur!

— Ah oui? Même avec le froid? Ça ne coagule pas?

— C'est qu'vous vous êt' magané en sacrament...

— Magané?

— Vot' jambe est abîmée, j'veux dire. C'est pas mal grave.

Je lui expliquai comment me faire un garrot. La brute serra et je perdis de nouveau connaissance. Un moment plus tard, sans que j'aie la moindre idée du temps qui avait bien pu s'écouler, je repris soudainement mes esprits, comme au réveil d'une anesthésie. J'avais peur de souffrir, mais en fait je ne sentais presque plus rien qu'une sorte d'engourdissement de la taille au pied. Ti-Nours m'avait couché sur un lit de branches et m'avait emmitouflé dans les épaisses couvertures de nos deux sacs de survie. Par-dessus le tout, il avait déposé des branches d'épinettes, cimes en haut, aiguilles tournées vers le sol. Plus tard dans la nuit, il m'expliquerait que de cette façon les gens du Nord contraints à dormir dehors dans le froid, la neige ou la pluie se protégeaient beaucoup plus efficacement de l'humidité.

Un feu vif crépitait dans un trou dans la neige à côté de moi. Le gros homme ne me quittait pas de ses yeux inquiets. Manifestement rassuré de me voir revenir à la vie, il me veillait en silence, l'air compatissant et malheureux. Cet apitoiement dans son regard, allez savoir pourquoi, je n'en voulais pas. Je le trouvais du dernier stupide. Je me savais sans force aucune, à la porte de la mort. Et pourtant, je me sentais toujours d'humeur à malmener le gros bûcheron.

— Le garrot a arrêté le sang?

— Ç'a a ben d'l'air, oui m'sieur. Ça va?

— Mais non, bon Dieu, ça ne va pas. Ça ne se voit pas? Tu me dis que j'ai le tibia pratiquement coupé en deux, je suis faible, j'ai froid. Je suis condamné à attendre le jour avec toi comme seul médecin et compagnon. Je serai mort demain matin et toi tu me demandes si ça va! Quelle heure est-il?

— Huit heures.

— Toute la nuit à tenir. Comme la chèvre de monsieur Seguin...

— Comme... quoé?

— Laisse faire. C'est toujours la tempête?

— Ouais, pis une fameuse à part de d'ça!

— Tu connais bien le Nord, hein, Ti-Nours? D'après toi, est-ce que j'ai des chances de m'en sortir?

— Çartain.

— Réfléchis donc avant de répondre, imbécile! La température, cette nuit, si ce n'est déjà atteint, va descendre à quarante sous zéro, n'est-ce pas?

— Quèque chose de même, ouais.

— Et j'ai perdu beaucoup de sang, hein?

— Pas mal, ouais.

— Alors comment veux-tu que je passe au travers? Je ne suis pas de ta race, moi. On n'en connaît pas des froids inhumains comme ça dans le pays d'où je viens. Comprends-tu ce que je veux dire ? Je ne suis pas un dur, moi, Ti-Nours. Tu ne dis plus rien, hein ! Et puis, es-tu toujours aussi sûr que je vais m'en tirer ?

— J'peux pas êt' çartain au boutte, mais j'crérais qu'oui.

— Ah oui ? Et qu'est-ce qui t'fait croire ça, mon gros ?

— Si la tempête s'arrête au matin pis qu'l'hélico vient, vous vous en tirerez.

— Et tu es sûr de cela, toi ?

— J'crérais qu'oui.

— Eh bien, moi, je n'en suis pas si sûr...

— Vous s'rez vivant parce que moé, Ti-Nours, j'vas vous t'nir en vie.

— Bon courage ! Je voudrais tenir à ma vie autant que toi tu sembles y tenir. Bon Dieu, je commence à avoir froid.

— L'feu va pourtant ben. J'vas r'charcher du bois...

Il s'affairait méthodiquement, cassant de ses mains puissantes les branches mortes au bas des troncs des épinettes voisines. Au bout d'un moment, tout le bois des abords immédiats ramassé, il disparut une première fois pour quelques minutes et je guettai les bruits qu'il pouvait faire. Mal à l'aise, honteux d'impuissance, je me savais totalement dépendant de lui. Il fit ainsi plusieurs tours, revenant chaque fois avec d'énormes brassées de bois. Il finit par en faire un tas respectable à quelques pas de nous, rechargea le feu et, à mon grand soulagement, je dois l'avouer, revint près de moi.

— Là, on d'vrait en avoir pour un bon boutte, dit-il en se rasseyant.

J'aurais pu le remercier, le complimenter. Je préférai continuer à le provoquer :

— Ti-Nours, sais-tu ce que c'est que l'hypothermie ?

— Non...

Je pris plaisir un moment à le laisser sans réponse, une moue sans grâce sur sa grosse face interrogative.

— Ben, c'est quoé? dites-lé!

— Eh bien, tu vois, l'hypothermie, c'est ce dont je serai mort, demain, à l'arrivée de l'hélicoptère.

— Dites pas ça!

— Écoute comment je parle. Ne trouves-tu pas déjà que mon débit a ralenti? Ça parle vite, pourtant, les Français de France, hein? Souviens-toi, tu me le disais cet après-midi. Mais là, écoute bien, hein que je suis plus lent que tout à l'heure! Tu hésites, hein! Tu vois, si mon élocution est plus difficile, c'est que mon système nerveux est probablement déjà atteint. S'il me fallait bouger maintenant, tu verrais que mes mouvements seraient gauches, mal coordonnés. Tout ça, ce sont des signes de début d'hypothermie. Tu veux savoir la suite?

— Oui, m'sieur!

— Tout à l'heure, Ti-Nours, il se pourrait bien que je délire et puis, dans une heure, trois heures, cinq heures, je ne sais pas, moi, j'aurai sommeil et rien ne pourra m'empêcher de dormir. Et ce sommeil-là, tu comprends, ce sera le début de ma mort.

— Parlez pas d'même, m'sieur. Vous mourrez pas!

— Mon cul, oui. Pour ça, faudrait d'abord que je ne dorme pas.

— Vous dormirez pas. J'vous en empêcherai.

— Fameux contrat que tu prends là, Ti-Nours.

— Faut m'aider, m'sieur. Faut vouloir vivre!

— Vivre? En plus de ça sur une seule jambe. Crois-tu vraiment que ça en vaudra la peine? Moi, je me demande...

— Z-avez pas l'droit d'parler d'même. Un homme peut pas décider comme ça d'vivre oubedon d'mourir. Le loup s'mange la patte dans l'piège pour s'en sortir.

— Épargne-moi tes conneries, tu veux! Qu'est-ce que j'en ai à foutre de ton loup de merde et de sa patte!

— Faut m'aider à vous tirer d'là, m'sieur! Faut vivre. Vous savez c'que moé faut que j'fasse. Dites-lé!

— Ce s'ra tellement fatigant. Pourquoi ne veux-tu pas plutôt me laisser roupiller bien gentiment?

— Non. Dites-lé! C'est quoi qui faut que j'fasse?

— Mais il n'y a rien à faire de particulier. Faut juste que tu m'empêches de dormir. Fais ton feu. T'endors pas. Parle-moi. Fais-moi parler. On verra bien combien de temps on tiendra l'coup tous les deux.

— Ça ben du bon sens.

— C'est ça, oui, ben du bon sens, comme tu dis.

— Vous mourrez pas, m'sieur. Ti-Nours veut pas...

★
★ ★

Je fus le premier surpris de ne pas m'assoupir plus rapidement. J'étais, à ce moment de la nuit, relativement bien, jambes engourdies, insensibles, près du feu que le gros homme entretenait savamment: peu de flammes maintenant, mais beaucoup de braises chaudes, rougeoyant à chaque souffle du vent qui parvenait faiblement jusqu'à notre tanière. On ne se disait rien, le bûcheron et moi. J'étais un peu perdu dans mes pensées, l'œil grand ouvert fixant la braise. Lui, hormis les moments où il nourrissait le feu, ne me quittait pas du regard.

Quelques heures s'écoulèrent ainsi avant que, doucement, sans l'avoir vu venir, le sommeil me gagne. Il s'en rendit immédiatement compte et me parla calmement, comme à un enfant.

— Faut pas dormir, m'sieur. Ça va ben vos affaires. Il est déjà une heure du matin. Vous tenez saprément ben l'coup.

46

Rassuré de revoir mes yeux ouverts, il s'agenouilla devant le feu, ses genoux à toucher mes cheveux, et continua sa veille silencieuse. Au bout d'un moment, sentant bien que j'allais m'assoupir de nouveau, c'est moi qui rompis le silence.

— Eh bien, Ti-Nours, tu ne dis rien?

— Ben j'ai rien à dire. Vous avez pas d'l'air à dormir.

— Oui, mais j'ai bien peur que cela ne tarde. Je me sens de plus en plus las, fatigué, mes yeux se ferment...

— Faut pas. Chus là. J'vous laisserai pas faire. J'vous parlerai.

Pourquoi fallut-il qu'une autre fois j'aie cette envie mauvaise d'emmerder le bonhomme, comme si j'étais jaloux de sa force, de sa vitalité, comme si je détestais son aide, sa sollicitude, sa présence?...

— Veux-tu dire que tu ne me parleras que si je ferme les yeux, qu'autrement on pourrait passer toute la nuit comme ça sans que tu me dises un seul mot, c'est ça?

— Vous m'avez dit de pas vous laisser dormir, pis là vous dormez pas, c'est toute!

— T'es pas le gars bavard, hein.

— Pas ben ben, non.

— Et puis au fond, ça se pourrait bien aussi, n'est-ce pas, que tu n'aies pas plus envie que cela de me parler. Après tout, je suis plutôt le mec emmerdant pour toi, non? Je suis pas trop con, je peux comprendre ça, tu sais, que tu n'aies pas plus de sympathie qu'il faut pour un étranger comme moi, assez effronté pour prendre ta scie sans te la demander et assez couillon pour s'estropier avec. Un couillon qui t'engueule, par-dessus le marché.

— J'comprends pas tout c'que vous dites, m'sieur. Mais ça fait rien, j'pense pas à des choses de même, non.

Il me regardait, le front bas, embarrassé, vaguement penaud, ne sachant manifestement pas comment s'y prendre avec moi. Il suintait de bonté et de bonne volonté. Je compris que mon agressivité envers lui, en plus d'être injuste, était absolument inutile. Dans mon état semi-fiévreux, il m'apparut évident que nous étions tellement différents l'un de l'autre que toute communication entre nous ne saurait jamais être qu'approximative. Cette constatation faite, je pris sur moi d'essayer d'avoir l'air un peu plus aimable en dépit de l'aversion que m'inspirait le gros homme et de la certitude que j'avais qu'il ne comprenait pas la moitié de ce que je lui racontais.

— Tu pourrais me trouver couillon et puis ingrat, tu pourrais, mon vieux, et tu n'aurais pas tort... Et puis, laisse donc faire ton m'sieur. Y en a pas, de monsieur, ici, juste un putain de maladroit... Ouais. Tu ne dis toujours rien. C'est dur, hein, Ti-Nours, la conversation entre deux personnes aussi différentes que nous. C'est bête à dire, on est dans la même merde et je n'aurais aucune chance de m'en sortir si tu n'étais pas là. Eh bien, malgré cela, je me sens tellement loin de toi, tellement différent de toi, tellement étranger... Tu as devant toi, mon cher, un pur produit de la bourgeoisie des vieux pays: cultivé, bien élevé, trilingue, ou presque, papa dans la finance, diplôme d'une grande école, et tout et tout... Et nous voilà là tous les deux cette nuit et, même si ma vie en dépend, je ne sais même pas comment m'y prendre pour qu'on se parle un peu toi et moi.

— Fatiquez-vous pas pour rien. C'est ben correct de même, m'sieur.

— Oui, bien sûr... Tu viens d'où, toi, Ti-Nours?

— De Chibougamau.

— C'est où, ça, Chibougamau?

— Une des darnières p'tites villes du Nord québécois. Plus au sud, c'est l'bois, plus au nord, c'est la taïga.

— C'est beau?

— Non. C't'une ville de mines.

— Un drôle de nom: Chibougamau.

— Ç'a d'l'air qu'ça viendrait d'l'indien. «Lieu de rencontre des eaux» qu'ça voudrait dire pour eux aut'.

— Ah bon... Et tu es parti de là pour aller travailler plus au nord?

— C'est ça, ouais. Des fois homme à tout faire, des fois bûcheron, des fois portier dans des tavernes de chantier, des fois mineur. Ho! ça va m'sieur?

Je m'endormais. J'avais beau faire pour tenter de questionner mon compagnon et m'intéresser à ce qu'il me racontait, c'était plus fort que moi, mes yeux se fermaient. Totalement engourdi, j'étais comme aux pires heures de fièvre de mon enfance, au bord d'un gouffre sans fond, oscillant vers l'abîme vrillant à mes pieds.

J'entendais les paroles du bûcheron dans une espèce d'écho sonore. Je bredouillais les mots que j'essayais de prononcer. Je m'en allais et Ti-Nours s'en rendait bien compte. Alors commença cette partie de la nuit où le géant retint ma vie à la sienne, comme si j'avais été pendu dans le vide et que sa main seule avait tenu la mienne. Il m'installa la tête sur son genou et, comme il avait promis de le faire, il me parla, ne cessa plus de me parler, m'arrachant irrégulièrement des hochements de tête, quelques mots, parfois des phrases au gré de mes rares moments de conscience un peu plus vive.

— Moi, m'sieur, j'ai commencé à travailler dans l'Grand-Nord s'a construction des lignes de radar pour les Américains, dans l'boutte du çarcle polaire, y a d'ça betôt trente ans. La Diou laïne* qu'y z-appelaient ça, eux aut'. Ça, c'était pas mal dur, surtout qu'y avait pas alors l'équipement comme on a astheure. J'm'en rappelle. L'avion nous laissait comme ça à dix gars s'un lac gelé, pis a r'partait tusuite, la maudite, pour pas qu'ses moteurs gèlent. Ça fait qu'nous aut' on se r'trouvait de même, s'a glace,

---

* La Dew-Line.

avec un tas de planches, un poêle à installer, pis d'la nourriture...
Vous m'écoutez, m'sieur!

— Oui, oui...

— On restait là, plantés dans neige à r'garder l'avion partir.
Là, quand on la voyait pus, on pouvait dire qu'on tait loin d'not'
mère. On grouillait pas tusuite, l'nez en l'air, à écouter son bruit
jusqu'à c'qu'on n'entende pus qu'le vent. Y en a, m'sieur, du vent
dans l'Nord. À ces places-là, y a pus rien pour l'arrêter. Pis là,
fallait tusuite construire le campe si qu'on voulait manger chaud
l'soir pis coucher à l'abri. Y avait pas à traîner. C'est qu'ça vient
vite, la nuite, dans l'Nord, en hiver. Ben, pas d'farce, chaque fois,
c'tait la même chose, y avait des gars, pis pas des tapettes, là, pas
des fainéants non plus, non, des gars comme vous pis moé, qu'arrivaient pas à s'mettre à travailler. S'assoyaient dans neige, r'gar-
daient leux bottes, les bras au corps, comme pardus. Pis y nous
aidaient même pas. On aurait dit comme ça qu'y s'réveillaient
juste quand l'campe était quasiment fini d'monter. Là y donnaient un coup de main. J'cré ben qu'y se s'raient laisser crever de
froid si z-avaient été seuls. Moé, j'comprends pas ça. Vous
m'sieur?... Entécas, pas d'danger qu'ça m'arrive à moé. J'connais
ça, moé, l'Nord... pis pas mal mieux qu'ben d'autres, à part de
d'ça. Dormez pas! Allons, lâchez pas, m'sieur!

— Me secoue pas comme ça, Ti-Nours.

— Correc' là, mais faut pas dormir. Attention à vot' tête,
j'vas r'charger un peu d'bois dans l'feu... Là, r'mettez-vous
comme faut...

— Merci, Ti-Nours.

— Y a rien là... À charcher les bonnes payes, comme ça, j'en
ai faite des chantiers, vous savez...

— Ah oui?

— J'cré ben. L'plus dur, pour moé, ça été les mines.

— Tu as été mineur?

— Mettez-en! Dins mines de fer, pis dins mines d'or itou. Là, m'sieur, quand un homme a travaillé dins mines d'or du Nord, là y peut dire qu'y a travaillé. L'or, là, c'est pas possible les places difficiles oussequ'y faut aller l'charcher. J'me souviens des fois ousseque fallait l'piocher dans l'eau jusqu'à mi-corps. Maudite marde, fallait-ti en vouloir! Les payes étaient bonnes, par exemple! J'me rappelle que dans c'temps-là, j'pouvais gagner des fois pas loin d'deux cents piasses par jour. C'était d'la grosse argent, ça, dins années soixante.

— Comme ça, tu dois être riche, Ti-Nours?

— Ah, ça non, par exemple! Allez pas crère ça. Si vous connaissiez un peu les mineurs du Nord, vous sauriez qu'non. C'est toute une gang de têtes brûlées que c'te monde-là, pis moé, j'tais pareil dans c'temps-là! Une fois leux argent faite dins mines, les gars descendent dins p'tites villes les plus proches. Une vra frontière! Tout l'monde nous attend. Les piasses qu'on s'est à moitié tués à gagner, on dirait qu'a sortent tu seules de nos poches. Y a rien d'trop beau: les hôtels, les créatures, la boisson... Voulez-vous d'quoé à boére?

— Hein! heu... non. Ti-Nours...

— Ouais?

— Je fatigue, mon vieux, tu sais.

— J'sais. C'est ben logique de fatiquer, pris comme vous l'êt'... Z-avez pas froid toujours? Attendez, j'vas r'monter vos couvartes. Grouillez pas. Là, comme ça vous devriez toffer pas mal mieux...

— Toffer?

— Ouais, toffer, tenir le coup, quoé... Faut tenir le coup, m'sieur.

— Merci, Ti-Nours. Il est beau, ton feu. Ça me rappelle quand j'étais boy-scout, les feux de camp, la chaleur sur mes genoux et l'œil fixe dans les flammes, avec le froid et la nuit en arrière. Tu vois, on n'a pas eu la même jeunesse, hein!

— Avec le feu, un homme peut s'en tirer partout dans l'Nord. Moé, vous pourriez m'laisser n'importe où comme ça dans l'bois, en plein hiver, pardu, pas d'mappe. En autant qu'j'aye des bons vêtements, une hache pis une boéte d'allumettes, faites-vous-en pas pour moé, çartain que vous me r'trouveriez au printemps...

— Et pourtant, hein Ti-Nours, quel froid! Les gens d'ailleurs ne sauront jamais...

— Non, peuvent pas savoér c'que c'est, quand les arbres en craquent, sept pieds d'glace su'é lacs, les nuages de neige, la glace dans barbe, le front qui gèle entre les deux yeux, les mains qui collent au fer...

— Je ne crois pas que je sois fait pour ça, moi. Un jour, si je m'en sors, j'aimerais m'en aller dans un pays où il ferait toujours beau.

— Eh ben, pas moé, par exemple! Moé, chus ben icitte dans l'Nord! C'est là qu'est ma place! Quand j'sors de d'là, chus comme pardu. On me r'trouve au fond des bars, pris d'boisson. J'me bats comme un chien enragé. J'fais un fou d'moé avec des guidounes pis des filles de taverne. Chus pas faite pour vivre ailleurs que dans l'bois. C'est icitte que chus chez moé. Quèssé ça peut ben m'faire le frette qu'y fait!

— Hum..

— Moé, chus faite ben fort, pis j'aime ça travailler. Là oussequ'y a des vingt-quatre heures sans dormir pis d'la grosse misère, c'est là qu'on m'envoye, et pis ça m'gêne pas... Moé, j'peux rester des mois pis des mois dans l'Nord, sans r'descendre, au milieu des aut' qui crèvent d'ennui. Pis ça, ça m'ennuie pas une seconde! Et vous, vous qui v'nez des vieux pays, vous aimez-tu ça aussi l'Nord, m'sieur?... Allons, m'sieur!

— Hein, heu, oui... enfin je ne sais pas... pas comme toi, en tout cas. C'est trop dur. Mais je trouve ça beau, par exemple.

— Çartain que c'est beau...

— Je crois que j'aimerais bien la pêche, la chasse...

— La pêche, la chasse, sûr! Moé aussi j'haïs pas ça... sauf qu'on dirait qu'avec le temps j'aime un peu moins ça. J'sais pas, moé, mais on dirait qu'astheure j'aime pus tant tuer les animaux que d'les r'garder...

— Ah oui?

— Ça, m'sieur, ça c'est un spectacle qu'un homme se tanne pas de r'garder, les animaux. Vous savez, quand on bûche dans l'bois, on peut toute les voére. C'est qu'c'est ben curieux, les animaux, dans l'Nord. Chaque matin, quand vous r'venez à place que vous avez bûchée la veille, vous pouvez voére, par les traces dans neige, qui sont toutes v'nus dans nuite argarder c'que vous aviez faite...

— Hum...

— Les lynx sont p'tête les plus senteux. L'année passée, j'en ai vu rester tout un long moment à me r'garder travailler. Affirmatif que par boutte c'te bête-là était pas à plus d'trois pieds d'moé. Un maudit beau gros chat. J'ai d'jà trappé ça, l'lynx. C'est une fourrure ben payante. Mais astheure, après avoir vu çui-là, j'cré ben que j'pourrais pus. Ça fait trop d'mal au cœur d'voére souffrir des bêtes qu'on aime, hein!

— Aïe... T'es parti, Ti-Nours?

— Juste met' du bois su l'feu. Grouillez pas... Là, r'mettez-vous à vot'aise.... Les ours aussi c'est ben senteux. En v'là un drôle d'animal que l'ours, hein, m'sieur. J'dirais qu'c'est la bête qui nous r'semble le plusse. Ç'a d'l'air effrayant comme ça quand ça vous fait face, drette sur ses pattes de darrière pis qu'ça grogne. Mais t'nez-y tête, r'tournez-y pas l'dos pour vous sauver, pis c'est lui qui finira par avoér peur pis qui s'en ira. Ben des gars d'bois vous diront ça...

— Hum...

— Les loups, c'est pas mal plus difficile à voére. Par exemple, on les entend souvent. Ça, c'est ben intelligent, un loup! Ça

53

sait quand un homme travaille ou quand y chasse. Ça d'vine itou quand y est fort oubedon quand y est fatiqué...

★
★ ★

«Allons, m'sieur, allons, faut pas dormir!» Cette fois-là, le bonhomme avait dû avoir peur et m'avait secoué rudement. Il me regardait d'un air vraiment inquiet. Je devais avoir l'air cadavérique et j'avais dû perdre conscience un bon moment. Son mouvement, d'un coup, déclencha la douleur dans ma jambe. C'était à pleurer. Le mal était tellement aigu qu'il me réveilla pour de bon.

— Fais attention! J'ai mal, Ti-Nours, bon Dieu que j'ai mal. Quel cauchemar! Quelle heure est-il?

— Passé quatre heures, m'sieur. Ça va ben vot' affaire si vous vous endormez pus. J'cré ben qu'la tempête est apra s'calmer. L'hélico d'vrait voler à matin. Sûr qu'la première chose qu'a f'ra s'ra d'venir nous prendre. Vous allez êt' sauvé!

— Tu crois. Comment va-t-on faire?

— Dès qui f'ra assez jour, j'vous porterai jusqu'à swompe ousseque le pilote nous a déposés, hier. J'ai pour mon dire qu'l'hélico viendra dès qu'y f'ra assez clair pour qu'a vole. On niaise pas avec ça des gars qu'ont passé la nuit dans poudrerie... Doivent êt' inquiet' pas mal, au campe...

— Encore trois ou quatre heures à tenir, quoi. Es-tu fatigué, toi?

— Pas une miette, ayez pas peur!... Z-avez mal, hein!

— C'est terrible... Quel merdier! Et tout ça pour quoi...

— Pourquoé?

— Laisse faire, je disais ça pour moi.

— Non, dites-lé!

54

— Pour quoi, pour quoi, est-ce que je sais, moi! Pourquoi le Nord? Pourquoi je suis là, moi? Qu'est-ce qui m'a pris de venir dans ce nom de Dieu de pays? Pourquoi j'ai pris ta putain de scie?

— Ça l'a pas d'allure de vous en prendre à vous. C'est d'même pis c'est d'même...

Une nouvelle fois, la compassion du bonhomme m'insulta et provoqua ma soudaine colère:

— Épargne-moi ta philosophie à la con, tu veux!

— J'vous comprends pas.

— Ah, laisse faire!... Non, ce que je veux dire, c'est que je suis là à crever et que ça ne ressemble à rien. C'est minable, ridicule, et en plus de ça, j'ai mal. C'est assez pour se détester, non! Ne me regarde pas comme ça: non, je ne délire pas. En tout cas, je ne crois pas. Je fais juste crever dans le froid et tout le monde s'en moque. On vit seul. C'est chacun pour soi. Tu le comprends ça, Ti-Nours: on est toujours tout seul. C'est ça, ce que je veux dire. Y a jamais personne pour nous aider, personne pour nous comprendre, pas plus que nous on aide ou on comprend les autres.

— Moé, chus là, pis j'vous aide, pis chus fier de d'ça, fier itou d'ma vie dans l'Nord, fier de toute ces travaux qu'on fait, nous aut'...

— Mais qu'est-ce qu'on en a à foutre de ta fierté, mon pauvre gros!

— Parlez pas d'même!

— Mais qu'est-ce que tu crois, Ti-Nours! Que les gens du Sud, ceux qui vivent au chaud, t'admirent parce qu'il fait froid ici ou te sont reconnaissants pour ce que tu fais? Allons, ouvre-toi les yeux, gros père! Je vais te dire, moi. Les gens du Sud, ils se foutent bien de toi et de tes pareils. Au mieux, ils les envient, les gens comme toi, les durs, les costauds, parce que vous êtes forts et que vous faites des choses qu'eux ne pourraient pas faire. Et sais-tu, sans doute aussi que pour ça ils vous méprisent au fond d'eux-mêmes, parce que vous n'êtes pas comme eux et que finalement ils vous craignent.

— Ça s'peut pas!

— Oh et puis merde, dis! La seule vraie affaire, c'est qu'ils n'en ont rien à foutre de toi, de moi, de tes travaux ou de ma guibole. Et maintenant, fous-nous la paix, tu veux!

— Ça s'peut pas, ce que vous dites... ça s'peut pas... Et pis d'abord, j'vous ai dit d'pas dormir!

Étais-je allé trop loin? Avais-je cassé un ressort dans la fruste mécanique intellectuelle du bûcheron? Il me secoua presque brutalement, l'expression d'un coup sévère, comme si, contre lui, il se décidait à exercer une emprise sur moi. Il n'avait pas l'air de jouer un rôle. Je geins piteusement:

— Mais tu es fou, Ti-Nours. Ne me secoue pas comme ça! Je ne dormais pas. Bon Dieu, tu m'as fait mal...

— Parle-moé!

— J'ai rien à te dire...

— Allez, parle-moé, mon p'tit gars, parle à Ti-Nours. On va tout d'même pas t'laisser mourir de même!

— Que veux-tu que je te raconte?

— Pourquoé qu't'es v'nu icitte, dans l'Nord?

— Prouver quelque chose... Les autres, mon père, la famille... Je ne sais plus... Rien que tu pourrais comprendre, en tout cas.

— Pareil, parle! Quessé qu'tu f'ras d'tes piasses quand tu sortiras d'icitte?

— Mes piasses?

— Tes dollars, l'argent qu't'auras gagné au chantier. J'suppose que tu r'tourneras dans ton pays?

— Non, je ne crois pas...

— Pareil, quessé qu'tu f'ras d'ton argent?

— Mais je ne sais mon pauvre Ti-Nours. Non, je n'ai vraiment pas la tête à penser à cela tout de suite.

— Tu parlais t'à l'heure d'un pays oussequ'y fait toujours beau. C'est-tu là qu't'iras?

— Ah oui, tiens, il y a ça: la Polynésie.

— La Po - ly - né - sie?

— Oui, c'est un très beau pays, Ti-Nours.

— La Polynésie...

— Oui, et même encore mieux que ça: les Marquises...

— Les Mar - qui - ses?

— C'est ça, mon Ti-Nours, les Marquises. Tu as raison. Après tout, c'est peut-être une idée. Si je m'en sors, il est possible que j'aille aux Marquises, trois mois, au moins, plus si je peux...

— Les Marquises...

— Oui. Bien sûr, ça ne te dit rien à toi, hein! Tu ne peux pas savoir. Le Nord, le Nord, tu n'as que le Nord à la bouche. Sais-tu, mon gros, la neige, la glace, les lacs gelés, les épinettes, tes putains de bêtes à fourrure, il n'y a pas que ça!

— Les Marquises...

— Oui, Ti-Nours, les Marquises! Imagine: un archipel polynésien, des petites îles presque sur l'équateur, juste sous le soleil. Il y a là une île où depuis un bon moment j'ai envie d'aller: Hiva-Oa. Écoute bien ça, Ti-Nours, Hiva-Oa. Ça sonne tout de même mieux que Chibougamau, non!

— Hi - va - Oa...

— Tu vois, cette île-là est tellement belle que je connais des gens qui ont choisi d'y aller mourir. Des personnes célèbres du pays d'où je viens, qui, lui aussi, est un pays froid et gris, ont décidé un jour de partir pour Hiva-Oa et n'en sont jamais revenus. Gauguin? ça ne te dit rien à toi, hein, Gauguin? Non, bien sûr. Ben c'était un de ceux-là. Un peintre, un grand peintre, eh bien, tu vois, c'est là qu'il a voulu mourir. Pense un peu, Ti-Nours, pense si ça doit être beau...

— Hiva-Oa...

— Pense à nous à côté d'eux, nous dans notre froid mortel, notre isolement et cette vie de merde en noir et blanc!...

— Hiva-Oa...

— Oui, c'est dit. Si je m'en sors, j'irai à Hiva-Oa, dans un petit village qu'ils appellent Atuana.

— Atuana...

— Et je ne ferai rien d'autre de mes journées que de regarder la course du soleil, de goûter la chaleur et d'admirer la vie, la mer et les gens de là-bas... Et puis, Ti-Nours, c'est toi qui ne dis plus rien?

— J't'écoute, mon gars, j't'écoute. Ouais, ça a d'l'air que ça doit êt' beau rare à la façon qu't'en parles.

— Encore bien plus que cela, Ti-Nours, tu ne peux pas savoir.

— Jamais d'neige?

— Jamais.

— Du gel?

— Penses-tu! Ils ne savent même pas ce que c'est.

— Du vent?

— Oui, mais un vent chaud qui remue doucement les cimes des palmiers, comme une musique...

— De la pluie?

— Je te dirais bien «traversière», mais tu ne comprendrais pas. Oui, de la pluie, des grains, comme des voiles qui se déplacent sur la mer et s'évaporent tout de suite et ne te mouillent même pas...

— Des fleurs?

— Des fleurs! Oh oui, comme tu n'en verras jamais, mon pauvre Ti-Nours, de toutes les teintes, à toutes les saisons...

— Des forêts?

— Oui, mais pas comme ici, sombres, serrées, austères. Non, là-bas, les arbres sont riches, gras, feuillus toute l'année, chargés de gros fruits...

— Ils les bûchent?

— Pas vraiment. Ils s'en servent juste pour sculpter ou se fabriquer des pirogues. Ils n'ont pas de feu à faire, il fait toujours chaud. Ils n'ont pas vraiment besoin d'exploiter leur île pour vivre. Ils n'ont pas besoin d'argent. Ils se nourrissent de fruits, de quelques animaux qu'ils élèvent et des poissons de la mer...

— Des poissons?

— Oui, tropicaux, de toutes les couleurs, dans une mer toute bleue sous le soleil, sur des bancs de corail tout rouge...

— Les animaux?

— Ceux qu'ils ont domestiqués et puis des chevaux, des chevaux sauvages qui galopent dans les montagnes...

— Comme t'en parles!

— Du vert partout, de toutes les sortes de vert, et la mer et le sable...

— Comme t'en parles!

— Et puis, Ti-Nours, il y a les femmes, les vahinés, comme ils disent...

— Les va - hi - nés?

— Oui, nues sous de minces cotons de couleur, nées pour l'amour, belles, patientes, toujours souriantes...

Tout le reste de cette nuit maudite, je parlai, je ne cessai plus de parler, caricaturant un équateur de carte postale. Ti-Nours était suspendu à mes lèvres, à mon souffle, à ma vie. Il m'écoutait, s'imprégnant de mon délire, l'absorbant tout entier. À genoux au-dessus de moi, il buvait ma folie, m'insufflant en échange, monstrueux transfert, sa force, sa résistance et sa chaleur dès que le froid ou l'engourdissement ralentissaient mes mots. Ne cessant de répondre aux questions dont le gros bûcheron me harcelait, j'inventais ces îles où je n'étais jamais allé, forçant la note, grossissant le trait. Je ne pouvais me rendre compte du cancer qui se développait dans la tête de la brute qui m'écoutait. Ainsi devaient chanter les sirènes autour du bateau d'Ulysse. Ti-Nours, lui, n'était pas attaché. Mais comment aurais-je pu savoir le désordre qui envahissait l'entendement de l'homme du Nord, alors même que dans ma propre tête tout était rouge fièvre et bleu océan, avec cette affreuse conscience de la douleur à ma jambe et l'hallucinante musique tahitienne qui me vrillait les oreilles...

J'avais tort de penser que je ne pourrais jamais communiquer avec Ti-Nours; tout au long de mon délire, le bûcheron me suivit; au plus fort de ma folie, il m'avait rejoint...

Et le jour finit par se lever.

Brusquement, je repris mes esprits. Ti-Nours était là qui me serrait contre lui, me remuait violemment, me frottait de la neige sur le front. Me voyant rouvrir les yeux, il éclata d'un grand rire :

— Tu voés, t'es pas mort, mon p'tit gars! T'es pas mort, pis tu mourras pas. Ti-Nours a réussi.

Bizarrement, revenu d'un coup du néant, je me sentais d'une parfaite lucidité. Mon délire était tombé, me laissant dans un état d'épuisement total, mais aussi dans un grand calme, en pleine maîtrise de moi.

Et je perçus parfaitement que quelque chose d'étrange rôdait entre le grand bûcheron et moi.

J'avais dû perdre un bon moment conscience. Il m'avait transporté et couché à l'emplacement exact où l'hélicoptère nous avait laissés la veille. Debout dans le vent, énorme, il semblait guetter un bruit. Je vis que sa tête et ses mains étaient nues, en dépit du froid intense. Machinalement, je portai la main à mon front. Ses gros gants de travail doublaient les miens et son bonnet de laine encapuchonnait mon propre passe-montagne. Je bougeai légèrement. Il se tourna vers moi, sans pour autant cesser de scruter le ciel sombre. Et puis soudain, il me fixa droit dans les yeux et je frémis.

— T'es sauvé, p'tit, v'là l'hélico, dit-il d'une voix rauque.

J'aurais voulu lui répondre, mais je ne parvins pas à articuler un seul mot. Le gaillard me regardait, souriant, mais les yeux vides.

— T'es sauvé, p'tit. Ti-Nours t'a sauvé. J't'avais dit que j'y arriverais. Maintenant, j'peux m'en aller...

Et je compris qu'il était perdu.

Finie la misère pour moé, hurla-t-il. J'vas r'monter les rivières de la baie plein est, jusqu'au partage des eaux, pis de d'là, j'vas descendre vers le golfe. Là, tassez-vous l'monde, j'prendrai un bateau. Fini l'Nord pour moé... Ti-Nours s'en va... aux Marquises...

Muet, fiévreux, malade d'impuissance, je le vis se tourner lentement vers le soleil levant. Son dos énorme me cachait l'horizon. Il balança son épouvantable scie sur son épaule et partit sans se retourner. Ses raquettes ne laissaient pas de traces sur la neige dure que le vent balayait. Alors seulement j'entendis au loin le bruit de l'hélicoptère qui venait me chercher.

★

★   ★

On ne l'a jamais revu, Ti-Nours. Je me suis évanoui de nouveau quand mes sauveteurs m'ont transporté dans l'hélicoptère et n'ai rien pu dire au pilote qui, sans attendre, m'a conduit directement à l'hôpital le plus proche. D'autres sont venus un peu plus tard pour chercher Ti-Nours, mais ils ne l'ont pas trouvé, bien sûr. Et puis, ils ont dû faire vite. Une autre tempête venait. Les conditions météo des jours suivants, chutes de neige et froids intenses, ont retardé les vols de recherche. Les hélicoptères n'ont pu redécoller que plusieurs jours plus tard. Les efforts pour le retrouver n'ont rien donné. Il a dû marcher très loin, il était tellement fort... ou alors il est resté très près, il faisait tellement froid... on ne sait pas, on ne saura sans doute jamais. Il aura probablement tenu jusqu'à la limite de ses forces et là, il se sera couché en rêvant aux Marquises... Personne ne l'aura empêché de dormir...

Voilà, c'est ça que j'étais venu vous dire. Moi? Moi, on m'a sauvé. Oh, bien sûr, ma jambe n'est plus ce qu'elle était, mais enfin, je vis. C'est lui, Ti-Nours, qui est mort à ma place. Et ça, voyez-vous, c'est une terrible erreur sur la personne. Le transfert n'a aucun sens. Il est mort à ma place, mais moi, je me sens tout à fait incapable de vivre à la sienne.

J'ai fait tout ce que je pouvais en venant jusque dans ce cimetière, mais cet affreux chemin que j'ai suivi à sa place s'arrête ici. Je ne l'ai même pas remercié, Ti-Nours. Je ne lui ai rien dit d'aimable ni de vrai tout au long de cette putain de nuit. Il n'aura rien eu de moi que la folie. Je lui devais bien au moins cette visite...

Là, c'est fait, mais je n'en peux plus...

★
★ ★

La détonation réveilla Marcelline depuis longtemps endormie. C'est elle qui donna l'alerte à Atuana.

Les gendarmes locaux furent bien ennuyés par l'affaire. Le boiteux suicidaire ne laissait même pas de lettre pour expliquer son geste.

Au moins, rapidement jointe, la famille accepta sans rechigner de payer le rapatriement du corps en métropole.

De concert avec les autorités de l'île, il fut décidé de tout faire pour que la chose ne s'ébruitât pas et ne servît pas d'exemple à d'autres illuminés.

Non, mais, quelle drôle d'idée de venir de si loin se brûler la cervelle sur la tombe de Jacques Brel.

L'enfant des chevreuils
ou
L'anneau d'Anticosti

Anticosti, septembre 1996. Le chasseur longeait l'arête de la falaise, suivant des pistes de cerfs, à quelques mètres du vide. La carabine négligemment pendue à l'épaule, les cheveux décoiffés par le vent, il y avait déjà un certain temps qu'il ne chassait plus. Il admirait l'Atlantique qui grondait au pied de l'abîme.

En haut de la côte, il s'arrêta devant un court bec de terre saillant de la falaise au-dessus du vide, surplomb triangulaire de roche qu'un jour ou l'autre l'érosion finirait par arracher à l'île. Prudent, vaguement inquiet, mais fortement attiré par la grandeur du site en contrebas, il s'étendit à plat ventre jusqu'à avoir la tête au ras du gouffre. Subjugué, il admira longuement l'incessant manège des vagues battant en longs assauts le pied de l'escarpement.

Des goélands se chamaillaient et criaient au-dessus de sa tête. Au loin, des cormorans traçaient sur l'horizon gris bleu une ligne sombre et mouvante au ras de l'océan. Au fond de l'abîme, les salves de mer déferlaient furieusement sur la roche, explosant en gerbes d'écume blanchâtre. Le spectacle était à la fois grandiose et terrifiant.

L'homme allait se relever quand, sous sa main prenant appui sur le sol, il sentit un objet à demi enfoui dans la terre. C'était une bague, accrochée intimement à l'herbe drue et déjà jaunie de ce début d'automne. Une telle découverte était certes insolite sur ce littoral complètement désertique d'Anticosti. Le chasseur suspendit son geste et, à genoux face à la mer, entreprit d'extirper la bague des racines tenaces où elle était prise.

Il resta un bon moment immobile, à contempler l'anneau. Le métal en était terne, oxydé, rongé. Le jonc était ouvert à la tête, terminé à chacune de ses extrémités par deux petites boules corrodées et noircies en guise de chaton.

Intrigué, l'homme se releva lentement, le bijou dérisoire dans la main. Un instant, il parut hésiter, puis, haussant les épaules, il lança l'anneau à la mer, ramassa sa carabine et s'en retourna vers le bois.

Il ne vit pas cette autre lame gonflant démesurément les flots en gagnant la côte. Le vent se déchaîna. Comme si toute la force de l'océan passait dans le fracas, une autre vague, énorme celle-là, éclata sur la falaise.

Qui sait ce qui rompt les charmes et libère les esprits? Qui dira ce que hurle le vent autour des îles du nord, ce qui arque la mer et la tord en tempête sur les hauts fonds rocheux du golfe du Saint-Laurent?

*
* *

À huit ans, il ne parlait pas, n'avait jamais parlé. Il entendait pourtant, mais il ne parlait pas. Les médecins avaient des mots pour tenter d'expliquer cela. Le grand-père, lui, savait. Il faut une mère et un père à un enfant. Celui-là n'en avait pas, n'en avait jamais connu, n'en aurait jamais. L'enfant muet n'avait que son grand-père, et le vieil homme s'était donné comme ultime tâche de prendre soin de son petit-fils.

Il n'était guère bavard lui non plus, ne l'avait jamais été. Vieux défricheur gaspésien, marin l'été, bûcheron l'hiver, il avait encaissé sans broncher les coups que la vie avait assenés sur sa grande carcasse osseuse: l'épouse en allée, son village fermé, sa fille abandonnée par le père de l'enfant avant même la naissance du petit, la folie de la jeune mère, la mort... et maintenant, cet enfant si beau mais pas comme les autres.

Dans les premiers temps, au pays, on avait proposé de lui prendre le bébé pour le mettre ailleurs où, disait-on, il serait mieux. Le vieux s'y était opposé si farouchement que tous avaient reculé. Mais il n'ignorait pas qu'il s'en trouvait beaucoup au village pour penser et dire que, dans un autre environnement, ce petit-là aurait peut-être parlé, que ce n'était sans doute pas la meilleure solution pour un enfant ayant un tel handicap que d'être élevé par un vieux solitaire. Il avait pris l'habitude de faire le sourd à ces commentaires-là, mais ils le mettaient dans un état de profonde insécurité qui le voûtait davantage, blanchissait ses cheveux et émaciait plus profondément son visage.

Plus l'enfant grandissait, plus il devenait évident au grand-père que le garçon atypique ne serait jamais à l'aise dans le monde des autres. Peu à peu, il avait acquis la conviction obsessionnelle que personne d'autre que lui ne pourrait comprendre, protéger et aimer ce petit. C'est alors qu'il s'était juré de rendre l'enfant heureux tant que lui-même serait de ce monde.

Aux cinq ans de l'enfant, il avait décidé qu'il était mieux pour eux de s'établir à Montréal, jugeant que, dans une grande ville où tout est anonyme, ils devraient pouvoir, en évitant les autres, mieux cacher leur détresse et survivre.

Et le grand-père, soucieux, silencieux, restait des heures avec l'enfant à penser à l'avenir et son front ne déridait pas.

Tantôt, c'était la compassion d'une voisine qui le préoccupait, tantôt, la curiosité malsaine d'un commerçant de la rue qui l'alarmait et gâchait sa journée. Alors, ils déménageaient, changeaient carrément de quartier, mais ça ne tardait jamais à recommencer. D'autres enfants voulaient savoir pourquoi le petit ne jouait pas avec eux et ne lâchait jamais la main de son grand-père lorsqu'ils se promenaient tous deux en ville. Certains étaient méchants avec ce garçon qui n'était pas comme eux, ou le seraient peut-être devenus sans la présence sévère et intimidante du vieux. La logeuse voulait mieux comprendre pourquoi ce petit qui semblait entendre ce qu'elle lui disait ne lui répondait jamais. Sur le trottoir, on s'arrêtait, on parlait derrière eux lorsqu'ils étaient passés. Le curé, mis au courant par quelque bonne âme des environs, proposait son aide.

Le vieux haïssait la sympathie d'autrui.

Un jour de la fin du printemps de 1939, une jeune femme était venue les voir dans l'appartement qu'ils occupaient depuis quelques semaines. Douce et persuasive, elle avait dit s'appeler Christiane et les rencontrer pour les aider. Elle avait longuement expliqué au vieux Gaspésien que son métier était d'assister les gens qui, comme lui, avaient des difficultés avec leurs enfants, que le petit avait besoin de soins spécialisés, qu'il grandissait, qu'il lui fallait une autre vie maintenant et que l'État avait des programmes pour eux. Le vieux avait compris que la travailleuse sociale lui était envoyée par la paroisse. Il l'avait écoutée fort poliment, mais sans dire un mot. À la fin, il l'avait juste remerciée en lui demandant un peu de temps...

Quelques jours plus tard, il avait remarqué de sa fenêtre qu'une voiture de police s'était arrêtée devant le petit immeuble où ils logeaient, qu'un homme en était descendu et qu'il avait parlé un bon moment à la logeuse en prenant des notes. Cette fois, avait-il pensé, il leur serait bien difficile de déménager ailleurs en ville sans qu'on les suive à la trace.

C'est ce soir-là qu'il décida de mener à bien le projet fou qui avait pris forme dans sa vieille tête d'homme de bois et de mer. Il enlèverait l'enfant de ce monde qui n'était pas fait pour lui.

Le lendemain, on s'étonna un peu de ne pas les voir. Le surlendemain, on constata qu'effectivement ils avaient disparu. Plusieurs jours plus tard, le policier alerté par les services sociaux finit par découvrir qu'un taxi les avait emmenés à l'aube au port de Montréal. On retrouva par la suite leurs traces au port de

Rimouski où un cargo les avait conduits. L'enquêteur en déduisit que l'homme et l'enfant étaient retournés dans leur Gaspésie natale. Sur ces entrefaites, une autre affaire autrement plus grave lui échut. Le policier estima que, somme toute, on n'avait pas grand-chose à reprocher à ce grand-père qui souhaitait s'occuper seul de son petit-fils. Une note fut envoyée à divers postes de la Sûreté du Québec en Gaspésie et sur la Côte-Nord pour les aviser que cet enfant-là, selon les services sociaux de Montréal, requérait des soins particuliers. La note demandait seulement qu'on voulût bien aviser le grand-père, s'il était localisé, soit de se présenter le plus rapidement possible à un bureau du gouvernement, soit d'y appeler une certaine Christiane Gauthier, à Montréal, dont le numéro de téléphone était joint.

Tout cela se passait bien avant l'ère des télécopieurs, de l'informatique et de l'État hyper-présent dans la vie du monde ordinaire. Les pays européens commençaient à se faire une guerre, qui occupait tous les esprits.

Le message traîna sur quelques bureaux des postes de police du Bas-du-Fleuve pendant un mois ou deux, puis on l'oublia.

Sans bruit, sans adieux, l'enfant et l'aïeul étaient partis. Plus personne à la ville n'entendrait jamais plus parler d'eux.

★
★ ★

Désormais, le grand-père et son petit-fils ne croiseraient plus sur leur chemin qu'un homme, un seul, un dénommé Charley MacPherson. Charley, c'était à cette époque le gardien de l'île d'Anticosti, celui que la compagnie de bois, alors propriétaire de l'île, payait pour surveiller cet immense territoire nordique. Une île à part que cette Anticosti, vaste comme la Corse, immense désert rocheux et boisé allongé au nord de l'entrée du golfe du Saint-Laurent. Pour certains, un enfer de neige, de glaces et de brumes, un lieu abandonné par ses colons ruinés, maudit par les marins redoutant ses hauts fonds devenus le cimetière à bateaux du golfe. Pour quelques rares autres, dont Charley, un paradis sauvage regorgeant d'oiseaux nordiques, de gibier, de saumons...

Un jour, au cours de sa ronde de surveillance, Charley, tout surpris, découvrit le vieillard et l'enfant installés à l'est de l'île, près de l'ancien village de Baie-du-Renard, abandonné depuis bientôt quarante ans par les pêcheurs de homards qui y habitaient au siècle précédent. Le rôle du gardien aurait été de les chasser, mais l'homme était bon et, après avoir discuté avec le vieux, il toléra leur présence et n'en parla à personne.

Le vieux Gaspésien n'avait pas choisi ce coin-là par hasard. Il connaissait bien le golfe, avait autrefois pêché durant plusieurs années la morue au large de l'île. Il savait que le long cordon littoral de galets arqué entre la pointe au Cormoran et le cap de la Table abrite une petite vallée de hautes herbes où coule une source d'eau douce. En dépit de la mer souvent dangereuse dans cette zone de la côte, il y accostait à l'occasion autrefois, justement pour aller chercher de l'eau fraîche. Il s'était souvent fait alors la remarque qu'il pourrait être facile d'y vivre. L'endroit s'appelait baie Innommée. Il avait jugé que c'était un nom parfait pour des squatters comme eux. Son ancien patron du temps qu'il était marin, un vieux comme lui qui s'ennuyait de la mer et parlait peu, les avait conduits là, lui et l'enfant, un beau jour de juillet que la mer était calme, puis s'en était retourné sans poser de questions.

Le grand-père connaissait le bois, savait tout ce qu'il pouvait faire avec les quelques outils qu'ils avaient apportés avec eux. Dans leurs sacs, des vêtements, des allumettes, des graines, du fil, quelques ustensiles; peu de choses, en fait, mais qui, vite, allaient lui permettre de leur installer un havre confortable et paisible.

Les hautes herbes autour de la cabane attiraient les cerfs et les biches fort nombreux dans l'île depuis qu'au début du siècle le propriétaire du temps, le chocolatier millionnaire français Henri Menier, avait doté Anticosti de ses premiers cervidés. Ces animaux, si farouches d'ordinaire, s'accoutumèrent rapidement à leur présence, au grand plaisir du petit.

68

Et l'enfant, qui ne s'adaptait pas au monde de ses semblables, ne cessa plus dès lors de se développer avec une vitalité prodigieuse dans cet univers que son grand-père créait juste pour lui.

Et pour ces deux-là, la vie fut réinventée, une vie à leur unique mesure, tranquille, inexpressive et silencieuse, où seul, le regard transmettait la pensée.

Ils passèrent là six bonnes années ensemble, au fil desquelles l'enfant devint un adolescent grand et solide. Les jours s'écoulaient calmes et heureux. Il aidait le grand-père dans ces petites tâches qui assuraient un minimum de confort à leur vie à deux. Pour le reste, il suivait les cerfs et les biches et s'amusait avec eux. Il apprenait ainsi à connaître par cœur, sur des milles à la ronde, ce bout de l'île où son grand-père et lui étaient les seuls humains à vivre. Il apprenait aussi à se passer complètement des autres de sa race, reportant tout son intérêt sur les animaux de l'île. Quand un bateau passait au large, quand, à de rares occasions, une chaloupe venait au bord, il observait un peu, de loin, puis disparaissait, invisible et méfiant.

Il en allait de même quand, deux fois l'an, vers Pâques et à la mi-automne, Charley venait les voir. Non pas qu'il en eût peur, mais il ne savait que faire en présence d'étrangers. Alors, quand le visiteur était là, il ne restait que quelques instants avec les deux hommes, puis il s'en allait, laissant son grand-père seul avec le gardien. Le plus souvent, les deux passaient la veillée ensemble et Charley repartait le lendemain, parfois, si la nuit n'avait pas été trop froide, sans avoir revu l'enfant.

Tout cela s'acheva par un bel après-midi de la fin de septembre 1945. Le grand vieillard s'affairait au soleil dans le jardin potager que de peine et de misère il avait cultivé près de leur cabane. Il avait chaud, trop chaud. Il comprit en s'affaissant qu'il ne se relèverait pas.

Parti dans le bois, l'enfant ne revint qu'à la tombée du jour. Il était très grand maintenant. Il venait d'avoir quatorze ans. Il chercha son grand-père d'abord dans la cabane, en fit ensuite le tour et marcha d'un pas égal, sans hésiter, jusqu'au jardin où le vieil homme s'était écroulé. Il ne parut pas autrement surpris devant le corps. Il le regarda longuement, puis, le visage figé, il tira avec précaution le mort pour l'adosser à une épinette rabougrie, tordue par le vent, face à la mer, et s'assit à ses côtés, épaule contre épaule, le regard immobile sur l'océan.

Il passa la nuit ainsi. Aux premières lueurs de l'aube, il partit du même pas tranquille. Un grand cerf albinos quitta la harde qui paissait autour du camp et le suivit. Il marcha par l'intérieur des terres jusqu'à la plus haute falaise voisine et s'assit au ras de l'escarpement. Le cerf se coucha près de lui. L'enfant, le regard toujours fixe, jouait machinalement avec une bague que lui avait donnée son grand-père. Quand la marée fut haute, il se leva, la bague à la main. Le vent soufflait violemment de la mer...

À son passage suivant à la baie Innommée, Charley MacPherson trouva le corps du vieil homme et l'enterra. Avec d'autres habitants de l'île venus à sa rescousse, ils cherchèrent sans succès le petit-fils. On ne devait jamais revoir l'enfant.

C'est après ces recherches qu'au village courut avec insistance cette rumeur que, dans les coins les plus reculés de l'est de l'île, un enfant, un sauvageon, vivait parmi les cerfs, comme les cerfs, ou plutôt les chevreuils, comme on dit à Anticosti.

Les légendes ont la vie dure. Celle de «l'enfant des chevreuils» persista dans le golfe jusque vers le milieu des années quatre-vingt. À cette époque, un professeur d'anthropologie de l'Université Laval, à Québec, ayant eu vent de la chose décida d'y consacrer des recherches tout à fait officielles. Il passa deux semaines en août 1985 dans l'île, une à Port-Menier à rencontrer certains des plus vieux habitants du village et l'autre dans un camp d'Aquila, une pourvoirie de chasse qui venait alors d'ouvrir une route menant jusqu'à la baie Innommée. Quelques semaines après sa visite, sans autre explication, il déclarait farfelue l'hypothèse qu'il ait pu exister, vers le milieu du siècle, un «enfant sauvage» élevé par des cervidés à Anticosti.

Cette mise au point mit bien un peu une sourdine à l'histoire que les vieux d'Anticosti aimaient à raconter aux visiteurs de l'île. Mais on est attaché à ses légendes dans le golfe, et celle-là n'est pas tout à fait morte. Cherchez un peu encore aujourd'hui, et vous trouverez bien, à Port-Menier, quelque vieux qui prétendra l'avoir aperçu, «l'enfant des chevreuils», et qui vous en parlera à voix basse, pour n'être entendu que de vous... et croyez bien que celui-là croit mordicus à ce qu'il vous dira.

*
* *

Rimouski, le 1er septembre 1985

Monsieur le professeur,

Je m'appelle Charley MacPherson et nous ne nous connaissons pas. J'étais chez ma fille à Rimouski, lorsque vous êtes passé le mois dernier à Port-Menier. Je n'ai donc pas pu vous rencontrer et je le regrette. J'y suis encore, chez ma fille, et c'est elle qui vous écrit cette lettre sous ma dictée. Moi, j'ai jamais été bien fort sur l'écriture.

On m'a dit que vous cherchiez des informations sur cette histoire de l'enfant des chevreuils d'Anticosti. Je sais qui vous avez rencontré à Port-Menier et j'en connais là-dedans qui ont dû vous conter un fameux paquet de sottises. J'aime trop cette île pour laisser dire n'importe quoi sur elle, alors je vais vous la raconter moi-même, la vraie histoire de cet enfant-là. Pour ne pas avoir de trouble, je me suis tu longtemps à propos de ça. Vous comprenez, jamais j'aurais dû laisser faire ça. Mais aujourd'hui que l'université s'en mêle, je ne peux plus me taire. N'importe comment, j'ai proche quatre-vingts ans, ça fait bien longtemps que la Consol n'est plus la propriétaire de l'île et je ne vois plus bien les ennuis

71

qu'on pourrait me faire rapport à tout ça. Alors c'est ça, j'ai décidé qu'il fallait vous écrire.

Ce que je vais vous raconter date de l'époque de la Seconde Guerre mondiale. Je ne peux pas me tromper, c'est en plein au moment où l'île était sous couvre-feu, sans phares sur les côtes, rapport aux sous-marins allemands qu'on ne voulait pas voir s'avancer dans le golfe. Dans ce temps-là, comme on vous l'aura peut-être dit, j'étais le gardien de l'île. Anticosti alors n'appartenait pas au gouvernement du Québec comme aujourd'hui, mais à une compagnie de pâtes et papiers, la Consolidated Bathurst. L'île déjà à cette époque était pleine de chevreuils et de saumons, de quoi attirer bien des braconniers de la Côte-Nord ou de la Gaspésie. Alors la compagnie me payait pour diriger une petite équipe d'hommes de Port-Menier pour surveiller les côtes et les rivières.

Dans ce temps-là, je faisais le tour de l'île à tous les six mois, en bateau l'été, en raquettes l'hiver. Il n'y avait pas de chemin, bien sûr! C'est comme ça qu'un jour de septembre 1939 je les ai vus tous les deux, le vieux et l'enfant. Là encore, je suis pas mal sûr de la date vu que je me souviens bien que c'était juste quelques jours après que la France et l'Angleterre ont déclaré la guerre à l'Allemagne qui venait d'entrer en Pologne. On suivait ça de près, nous autres à Anticosti, cette affaire-là, depuis qu'on avait eu des espions allemands dans l'île une couple d'années plus tôt.

Ben oui, un beau jour, j'accoste à la baie Innommée, je vais à la source qu'il y a là et voilà pas que je trouve à trois pas de là un camp de bois rond en pleine construction. Un vieux bonhomme était là qui dirigeait la manœuvre, avec un petit qui l'aidait. Fallait qu'ils soient venus en bateau. Allez pas croire que ça m'a fait plaisir de les voir là! Oh non! Je savais bien que les gens de la Consol n'auraient jamais accepté que du monde s'installe de même dans l'île. Pour sûr, le cas s'était jamais présenté. Je vous demande bien qui, à part ces deux-là, aurait eu l'idée de venir bâtir maison dans une place aussi déserte que l'était celle-là. J'ai pris mon air le plus sévère, puis je leur ai demandé ce qu'ils faisaient là. Le vieux, ça l'a pas effrayé une miette. Il m'a emmené à l'écart et m'a parlé.

C'était un drôle de phénomène que cet homme-là. Un grand barbu voûté, sec, à tête d'aigle, pas bavard. Cette fois-là, oui, il m'a parlé. J'ai pas souvenir du reste qu'il m'ait jamais autant parlé par la suite que cette première fois là. Il m'a expliqué que l'enfant était son petit-fils, qu'il était muet, pas comme les autres, qu'il pouvait pas le garder en ville, qu'il croyait que le petit serait heureux s'il pouvait vivre un peu ici, que le grand air lui ferait du bien, des affaires de même. Ça fait que moi, vous pensez bien, j'ai pas eu le cœur de les chasser. J'ai fermé les yeux.

Notez bien qu'il n'y avait pas grand risque qu'un autre que moi les trouve là. L'endroit que le vieux avait choisi était bien à quinze jours de marche du village, et les hauts fonds sont si dangereux dans ce bout-là de l'île que les bateaux le plus souvent passent bien au large. Le vieux avait construit sa cabane dans une espèce de repli du littoral, de telle sorte qu'on la voyait pas de la mer. Pour moi, le grand-père connaissait son affaire, savait très bien ce qu'il faisait quand il avait décidé de s'établir à la baie Innommée.

Je les ai donc laissé faire! Je me souviens du petit gars. Je voyais bien qu'il était pas normal, comme on dit. Souriait pas, disait rien, regardait seulement son grand-père, pas moi, jamais... Mais, ma foi du bon Dieu, qu'il était beau! Pâle, de longs cheveux noirs bouclés, des grands yeux de fille... Bizarre comme je m'en rappelle encore après toutes ces années. Il parlait pas, c'est vrai, mais je vous jure que c'est pas rien que pour ça qu'il était pas comme les autres. Y avait bien d'autres choses que je ne sais pas vous expliquer mais que j'ai toujours ressenties devant lui, la première fois que je l'ai vu et toutes les autres fois après. Bien mis, à part de d'ça, comme on se serait jamais attendu à trouver un petit gars dans le bois. Pour moi, le grand-père devait lui coudre lui-même des vêtements. Ces vieux-là, ça savait tout faire. Pour dire s'il était soigné, il avait même, je me souviens, une bague au doigt, comme un petit prince. Pis une belle à part de d'ça, avec deux petites pierres brillantes: l'anneau de fiançailles de sa mère, que m'avait dit le vieux...

C'était un vieux malin que cet homme-là! Je veux pas dire par là qu'il était porté à rire ou à plaisanter! Ça, non! Je ne me souviens même pas de l'avoir vu sourire et pourtant il aurait eu l'occasion avec moi. Je passais les voir à chacun de mes voyages. On soupait ensemble. Souvent, je passais la nuit dans son camp. Mais non, le bonhomme, je vous dis, disait rien. Je ne l'ai jamais vu parler à l'enfant. Il se contentait de le regarder. Quant à moi, fallait que je lui arrache les trois mots qu'il me disait. Non, ce que je veux dire, c'est qu'il avait l'air de maudtement bien se débrouiller pour leurs petites affaires à tous les deux. Il cultivait un peu, un petit jardin ras leur camp; ramassait des fruits sauvages, il y en a une peste dans ce coin-là de l'île; attrapait du poisson, du homard, un loup-marin à l'occasion, je croirais, pour la graisse et le cuir; colletait quelques lièvres, sans doute. Il m'avait bien promis de pas toucher aux chevreuils. Ça, j'aurais pas pu le permettre. Mais s'il y a quelque chose dont je suis bien sûr, c'est bien que lui et le petit leur ont jamais fait de mal, aux chevreuils. Y en avait toujours en masse autour de leur cabane. Je sais qu'ils leur donnaient à manger, le jeune et lui, en hiver, quand il y a bien de la neige au sol et que c'est dur pour les bêtes. Ça fait que tout un troupeau se ramassait dans leur coin. C'était de toute beauté de voir ça!

Alors, vous comprenez que cet enfant-là, qui devait avoir dans les sept ou huit ans la première fois que je l'ai vu, s'est élevé au beau milieu des cerfs et des biches. Les animaux, ça, je l'ai vu de mes yeux vu, le suivaient, mangeaient dans sa main, jouaient avec lui, pas effrayés une miette. Tout ça, c'est la partie vraie de cette histoire d'enfant des chevreuils. Il y avait même, je le revois encore, un jeune buck albinos, tout blanc là, vous savez, qui ne le quittait pratiquement jamais et que j'ai vu grandir avec lui jusqu'à faire une bête splendide. La dernière fois que j'ai aperçu cet animal-là, c'était un gros douze pointes, au garrot plus haut que mes épaules, non, je n'exagère pas!

De voyage en voyage, toujours aussi beau, le petit bonhomme. Ben, je dis petit mais attention, là, à chaque fois je le trouvais plus grand, plus costaud que la fois d'avant. Sûr que la vie qu'il menait là lui convenait bien. Pour moi, il serait devenu aussi grand que son grand-père qu'avait dû être toute une pièce d'homme dans la force de l'âge. Timide, par exemple. Bof, timide, je sais pas trop si c'est bien le mot qui convient. Il était avec moi comme si j'existais pas. Pas effrayé, non. Les fois que j'arrivais chez eux, il restait là, les yeux fixés sur son grand-père. Bizarre, hein! Enfin, vous savez bien comment sont les petits gars: ça bouge, ça parle tout le temps... Pas lui. Bien sûr, je savais bien qu'il pouvait pas parler, mais enfin, il aurait pu manifester quelque chose, je sais pas moi, cligner des yeux, sourire, hocher de la tête, gigoter, quoi, comme font les autres enfants! Mais non, il était là près de son grand-père, immobile, les yeux fixes. Puis d'un coup, sans bruit, il disparaissait. On se tournait. Il était plus là! Silencieux comme, ben je peux pas mieux le dire, comme un chevreuil...

Ça pouvait pas continuer tout le temps de même, vous vous en doutez bien. Une fois, ça devait être en 43, deux ans, oui deux ans avant que le vieux s'en aille, je lui en avais parlé. Je lui avais dit comme ça: «Dites, le père, vous êtes fort pis en santé, mais ça va pas durer toujours ça. Va venir le temps où vous pourrez plus vivre isolés de même. Qu'est-ce qui arriverait du petit si y vous arrivait malheur à vous?»

Pis même sans qu'il arrive quelque chose au grand-père, le jeune grandissait. Je le savais bien, moi, qu'il pourrait pas vivre toute sa vie là. À vous, je peux bien le dire aujourd'hui, j'avais l'idée comme ça de les prendre tous les deux chez nous, à Port-Menier. J'en avais même touché mot à ma femme qu'avait pas dit non. Comme ça, quand le vieux y serait plus arrivé, on se serait occupé de l'enfant. Il aurait pas été malheureux chez nous. Mais aussi bien plus parler de d'ça. J'y ai rien dit. Je vous demande d'abord comment que j'aurais pu m'y prendre pour y parler de d'ça! Le vieux têtu disait jamais rien. Trois mots, je vous dis, trois mots que je lui arrachais de peine et de misère, pis le bonhomme se taisait! Ma foi du bon Dieu, il était pas parlable!

Cette fois-là, je veux dire le jour où je lui ai demandé ce qu'il arriverait du petit, vous pensez bien qu'il m'a pas répond. Par exemple, il m'a regardé longtemps en silence, si longtemps que c'est moi qui ai fini par baisser les yeux. Ça fait que je lui en ai jamais plus reparlé. Après tout, s'il voulait finir tout seul, c'était bien de ses affaires! Mais vous savez, je m'en souviens don de ce regard-là! J'y ai don pensé depuis! Comment je vous expliquerais bien ça? Ça m'a donné l'impression que le bonhomme savait comment tout ça finirait, pis qu'il l'acceptait, oui, c'est ça, qu'il l'acceptait.

Et voyez-vous, monsieur le professeur, dans toute l'histoire de ces deux-là, dans toute cette affaire d'enfant des chevreuils, pour moi, c'est là qu'il est le vrai pis le seul mystère. Personne n'a jamais su précisément ce que cet enfant avait bien pu faire ni ce qu'il était devenu, mais le vieux, dès ce moment-là j'en suis persuadé, lui, il savait ce que le petit ferait, pis il s'y opposait pas, même qu'au fond fallait qu'il soit d'accord. Pis moi, au plus profond de moi, je crois bien que je sais ce qu'il a fait, ce petit, pis ça, monsieur, c'est terrible... Comment le grand-père, qui adorait cet enfant-là, a pu le laisser faire? Je comprends pas! Ma foi du bon Dieu, j'ai jamais compris!

C'est moi qui ai retrouvé le corps du vieillard au début octobre. Je me souviens avoir eu comme un vilain pressentiment en approchant de la cabane. Y avait pas un chevreuil en vue. Le bonhomme était assis face à la mer, droit, noble, les yeux grand ouverts. Devait pas être mort depuis bien longtemps, pas plus d'une semaine, certain. Je l'ai enterré moi-même. Je suis quasiment sûr que vous devriez encore trouver sa croix. Chaque fois que je suis passé par là depuis, je suis allé sur sa tombe, mais là ça fait une bonne secousse que je n'y vais plus, rapport à mon âge. N'empêche, j'y pense souvent encore.

La cabane, par exemple, vous lu trouveriez plus. Je l'ai moi-même démanchée, le jour même, rapport que, comme je vous l'écrivais plus haut, il était pas supposé y avoir du monde d'installé de même à la baie Innommée.

Ben oui, vous devez vous demander pour l'enfant... Moi aussi, je me suis demandé. J'ai crié, j'ai cherché, je l'ai pas trouvé. Là, j'ai hésité. Je me disais, il est peut-être effrayé, ce petit-là. Peut-être qu'il rôde autour pis qu'il ose pas venir à moi. Je savais comme il était silencieux, comme il savait bien disparaître et se cacher. J'ai pensé que jamais je ne le retrouverais seul s'il ne voulait pas se montrer.

Vous savez, dans ces moments-là, on n'est jamais bien sûr de faire ce qu'il faut faire. Moi, j'ai pensé que le mieux était d'aller chercher de l'aide, quitte à le laisser seul un peu.

Alors, je suis retourné au village chercher du secours. Souvent, je me dis depuis que j'aurais peut-être dû rester à l'attendre, qu'il me connaissait, qu'il aurait peut-être fini par venir à moi si j'étais resté là, tout seul, à me taire au lieu de crier comme un sourd. Quand ça me prend d'y penser, encore aujourd'hui, je me dis que les autres, à rire et à parler fort et mener tapage comme ils le faisaient, l'avaient peut-être apeuré...

Mais je me dis aussi que c'était sans doute déjà trop tard, que le petit avait probablement déjà fait ce qu'il s'était mis en tête de faire... Allez donc savoir!

J'ai été aussi vite que j'ai pu, sans dormir, en bateau jusqu'à Port-Menier. Deux jours après, je suis revenu avec une dizaine de pêcheurs et de bûcherons.

On a tout fait pendant huit jours pour le trouver. On a crié, fouillé, ratissé tous les bois de l'est de l'île jusqu'à bien plus loin que la rivière au Renard... Pour rien. Maudit qu'on a pu chercher! Pis là, au bout de huit jours, c'est pas des farces, la folie s'est mise dans notre groupe. Rapport aux traces. Ben oui, au début les hommes m'avaient questionné, un peu surpris qu'un enfant puisse s'être perdu dans ce coin-là de l'île. Je leur avais pas tout expliqué, vous comprenez. Je leur avais pas parlé du grand-père, je leur avais pas dit que ces deux-là vivaient dans l'île depuis six ans, rapport que, comme je vous l'expliquais tout à l'heure, je ne voulais pas que ça fasse des histoires pis que la compagnie finisse par savoir que je les avais laissé faire. J'avais, je vous l'ai dit, détruit la cabane, pour les mêmes raisons. Ça fait que ces hommes-là qui m'aidaient à le chercher, ils pensaient que ça devait être un petit gars qui était descendu d'un bateau pis qui s'était perdu... Ils m'auraient pas cru si je m'étais mis dans la tête de leur expliquer que ce petit d'homme se tenait toujours comme ça, avec des chevreuils. J'aurais peut-être dû leur dire... mais j'ai rien dit.

Ça fait qu'ils ont drôlement réagi à force de voir les empreintes. Vous savez, c'était du monde simple dans l'île, dans ce temps-là! Ça les a troublés, toutes ces traces. Faut dire que partout où qu'on cherchait on trouvait ses pas à lui parmi les piques des chevreuils, sur les plages, dans les galets, comme à des milles de la mer, au plus profond du bois, au plus haut des monts, dans les marais, partout, je vous dis. Il y avait de bons guides de chasse parmi ces gars-là, de fameux pisteurs. Ceux-là ont bien vu, aux empreintes, que l'enfant se tenait avec les animaux, marchait quand ils marchaient, courait quand ils couraient, pas qu'il était passé avant ou après dans leurs traces, mais bien qu'il était avec eux...

Ça a fini par leur monter à la tête. Un coup, un premier jura qu'il avait aperçu une forme humaine courant au milieu d'un groupe de bucks. Il a eu un fameux succès au souper, le soir, vous pensez bien. Vous savez ce que c'est, hein! Le lendemain, un autre a cru voir de loin un garçon à califourchon sur le dos d'un grand animal. C'était dans la brume du matin, une brume bien épaisse, au bord d'un lac. Le bonhomme était pas bien sûr, mais il lui semblait bien.

Je vous l'ai dit, c'est du monde simple, sur l'île. C'est bête, mais je crois bien que ces hommes-là ont fini par avoir une espèce de peur. Je ne peux pas bien vous expliquer ça, moi, sans doute qu'à l'université vous êtes mieux équipés pour comprendre ça... En tout cas, je n'ai pas pu les retenir bien longtemps après ça. Je n'ai pas cherché non plus. Je voyais bien qu'on ne retrouverait pas l'enfant en s'y prenant de même.

Si bien que les hommes sont rentrés au village où, pour se donner bonne conscience d'avoir abandonné les recherches, ils en ont rajouté en racontant l'affaire aux autres habitants, vous pensez bien. «À quoi bon chercher cet enfant, qu'ils ont dit, il vit aujourd'hui avec les chevreuils, c'est sûr, pis c'est là qu'il est le mieux.» Et puis c'est plus deux gars qui croyaient l'avoir vu, mais tous ces hommes-là, un par un, qui auraient pu alors vous le décrire, monsieur le professeur, votre enfant des chevreuils... Et la voilà votre histoire!

Mais moi, Charley MacPherson, moi, je sais bien qu'il n'y a jamais eu rien de vrai dans tout cela, allez! Non, chevreuil ou pas chevreuil, ce petit pouvait pas vivre sans son grand-père. Il était parti, lui aussi, comme le vieux, cela, j'en ai vite été sûr.

Vous vous demandez comment j'ai fait pour en être aussi sûr? Rapport aux traces, encore une fois. Ben oui, quand les autres s'en sont retournés, moi, je suis resté. J'espérais toujours, sans trop y croire, voir ce petit sortir un jour du bois. J'ai pas eu à rester longtemps. La neige est venue tôt cette année-là sur la baie Innommée. Alors, j'ai pris mes raquettes et marché, marché, marché dans tous ces coins où l'on voyait tant de ses empreintes avant la neige... Ça fait que j'ai bien vu qu'il n'y avait plus de traces humaines dans les pistes de chevreuils.

J'ai cherché, j'ai cherché, j'ai jamais plus retrouvé son pas.

Tout cela, c'est de l'histoire bien ancienne maintenant, monsieur le professeur. Mais je ne me trompe pas en vous la racontant. Je m'en souviens comme d'hier. Vous l'avoir dit aujourd'hui m'a fait du bien, pis du mal à la fois, comme à chaque fois que je pense

80

à ce vieux pis à son petit gars... Au fond, ma grand foi du bon Dieu, je l'aimais bien, moi, ce petit homme.

Respectueusement,

— Charley MacPherson

*
* *

Il avait tant cherché, ce bon Charley. Il avait vu dans ses recherches des centaines et des centaines de cerfs mais n'avait pas remarqué que, chaque matin, au lever du jour, dans le soleil embrasant l'océan, un grand cerf blanc sur la falaise venait immuablement face à la mer...

Un matin du mois de décembre suivant, sur le surplomb où il n'avait cessé de venir, l'albinos cherchait une autre fois vainement son ami, fixant la grève inaccessible au bas de la falaise. Il neigeait. La puissante ramure de douze pointes que l'animal venait de perdre gisait à côté de ses sabots, au bord du vide, accrochant la poudrerie. Au dernier des andouillers, serrant la corne, une fine bague luisait aux premières lueurs du jour.

Un anneau somme toute bizarre, fin jonc d'argent dont le cercle ne se fermait pas, mais se terminait par deux petites pierres rondes et brillantes où l'enfant qui ne disait rien voyait des mondes.

Le dormeur de la Côte-Nord

Loin dans le nord de ce pays, dans les eaux glaciales de la baie James lorsqu'elle devient Baie d'Hudson, il est une mince bande de terre entièrement livrée aux vents nordiques, vastes grèves nues où de pauvres lichens s'agrippent au sable et de longues arêtes rocheuses et chaotiques: Grande-Île.

Comme bien d'autres îles des deux immenses baies canadiennes, Grande-Île ne serait qu'un désert si, chaque année, à l'automne et au printemps, des dizaines de milliers d'oies sauvages ne faisaient de l'endroit le centre de leur aire de repos, attirant sur ces côtes brumeuses quelques Inuits et une poignée des chasseurs les plus fortunés d'Europe et d'Amérique.

★
★　★

Drôle de bonhomme, avait pensé Georges en conduisant son client à la cache. Drôle de chasseur en tout cas, habillé tout de neuf, en pas très cher, en pas très chaud non plus. Heureusement, le temps était passablement doux, ce qui est loin d'être la règle, en septembre, à Grande-Île. Reste qu'avec le vent cinglant le touriste ne devait pas être bien à l'aise.

Georges l'avait emmené à pied pas très loin du camp principal, dans un des meilleurs coins de l'île, une longue bande de rochers s'enfonçant dans la mer où l'on pouvait aisément se dissimuler à marée basse. Il savait de longue date que les oies nordiques ont pour habitude de longer les littoraux, rassurées par la nudité des grèves à ces latitudes qui leur permet de bien distinguer bêtes et gens pouvant représenter un danger pour elles. Bien sûr, quelques vieilles blanches qui s'étaient déjà fait tirer à cette même place prendraient le soin de contourner les rochers, mais le plus souvent les oiseaux passeraient tout droit, juste au-dessus d'eux, donnant de nombreuses occasions de tir à son chasseur.

Il l'avait installé dans une anfractuosité qui les dissimulerait complètement et avait entrepris de disposer ses leurres de papier et de bois tout autour de la cache. Le vent fouettait les feuilles blanches que le guide avait roulées en cornets autour de galets qui les maintenaient au sol. De place en place autour d'elles, il planta dans le sable, cou bien dressé et bec orienté droit dans le vent, des oies qu'il avait lui-même sculptées dans du bois flotté échoué devant le camp et qu'il avait peintes en blanc.

Du sable humide restait collé à ses doigts. Il plia sa grande carcasse, se rinça les mains dans une flaque d'eau de mer laissée sur la roche par la marée descendante et posa un regard de connaisseur sur la scène devant lui. Pas de doute, il avait fait du beau travail. On aurait juré qu'une trentaine d'oies blanches venaient de se poser sur la plage, devant la bande de rochers. Des oies, il en entendait justement qui criaillaient dans le vent, au loin à l'est. Le ciel n'était que grisaille. Presque pas de visibilité, les oiseaux voleront bas, songea-t-il. Un temps idéal pour la chasse, au moins tant qu'il ne pleuvrait pas. Le touriste n'aurait pas de mal à faire sa limite de prises. Content de lui, le guide s'en fut dans les rochers retrouver son client.

— Ça va? Vous êtes bien installé? Pas trop froid?

— À l'abri, comme ça, ça va, merci. Alors c'est ainsi que l'on fait. On met ces formes de bois et des feuilles de papier blanc et les oies sont assez bêtes pour s'en venir et s'y faire prendre.

— C'est ça, pis, soyez prêt. Vous allez voir que ça ne tardera pas qu'on va voir des oiseaux, c'est une maudite bonne passe, icitte.

Le grand guide dit et se tut. Un long moment, on n'entendit que le vent et le bruit de la mer. Le client s'agita, toussota. Il allait parler, mais Georges, tête dans le vent, l'arrêta net.

— Écoutez! C'est ben pour dire, j'crois ben qu'en v'là. Oui, pis ça a d'l'air qu'elles s'en viennent carré sur nous autres, à part de d'ça...

— Je ne vois rien.

— Moi non plus, mais je les entends.

— Que dois-je faire?

— Grouillez pas! Attendez mon signal! Ça y est, elles ont vu les appelants. Les v'là. Tenez-vous prêt à tirer.

Une quinzaine d'oiseaux sortirent de la brume. Georges mit ses mains en porte-voix et les appela de brefs cris de gorge, criaillements parmi les criaillements. Les oies parurent arrêter leur vol, indécises. Les ailes soudain immobiles et figées en accent circonflexe, la tête seule mobile, le bec tourné vers le sol, elles planèrent en courts cercles au-dessus des leurres, perdant peu à peu de l'altitude mais restant tout de même méfiantes. Le guide, en chasseur expérimenté, remarqua quelques oiseaux plus blancs que d'autres dans le groupe, de vieilles bêtes difficiles à tromper. Il jugea que ces oies-là ne viendraient pas plus près. Le tir ne serait pas facile, mais il estima que ça valait le coup d'essayer.

— À vous, faites vite! Tirez! Mais tirez donc, bonté divine!

Ne quittant pas les oies des yeux, le guide s'était dressé hors de la cache. À côté de lui, le chasseur, qui s'était levé en toute hâte, avait du mal à trouver son équilibre. Engoncé dans ses habits trop rigides, empêtré dans la bretelle de son arme, il cherchait sans succès des appuis stables sur le sol de galets. Les oies s'aperçurent de leur erreur. Criaillant de colère ou de frayeur, elles reprirent de l'altitude en quelques puissants battements d'ailes et filèrent au vent. Elles avaient disparu dans la brume bien avant que le chasseur ait pu les mettre en joue.

— Ouais, ben vous avez raté votre affaire, hein! lança Georges, amusé.

— Excusez-moi, je n'étais vraiment pas prêt.

— C'est pas ben grave, allez, on en reverra d'autres. Les premières oies à Grande-Île, c'est jamais ben évident à tirer. Ça va vite en Jupiter! Cachez-vous! Je crois ben que j'en entends une.

Effectivement, peu à peu, un bref criaillement devenait de plus en plus perceptible dans le brouillard. Georges, en vieil habitué, dialogua avec l'oiseau, répondant à chacun de ses appels. D'un coup, une oie fut visible. Elle tourna au-dessus des deux hommes, perdant rapidement de l'altitude.

— Cette fois, chuchota le guide, vous avez tout votre temps. Visez-la un pied en dessous quand elle descend et deux pieds en avant de la tête si elle repart. Là, c'est le temps, donnez-y! Donnez-y, je vous dis!

À la détonation, l'oie, toute proche et totalement bernée par les cris et le dispositif de Georges, parut se rendre compte que, manifestement, quelque chose clochait. Elle accomplit un dernier tour au-dessus de ses consœurs de bois et de papier devenues silencieuses et, comme à regret, repartit vers la mer.

Penaud, la tête basse, le chasseur murmura:

— Excusez-moi. Je suis décidément fort maladroit.

— Vous n'avez pas à vous excuser. Manquer son coup, ça arrive à tout le monde. Mais pourquoi que vous avez tiré une seule fois? Fallait doubler.

— Ah! mais oui, au fait, vous avez bien raison. J'avais trois cartouches dans le fusil. J'aurais pu retirer. Ma foi, je n'y ai pas pensé.

— Donnez-le-moé votre fusil, je vais recharger.

Un long moment s'écoula. Le guide n'était pas homme bavard et le chasseur, plutôt piteux, semblait hésiter à lui parler. Ils étaient là, chacun dans son mutisme, quand soudainement, sans s'être annoncées de leurs criaillements nasillards, trois autres oies surgirent sous le vent, de l'ouest, juste au-dessus de la cache. Georges reconnut des jeunes, des grises, et, sûr de son fait, les appela d'un bref jappement. À l'appel, elles parurent couper net leur trajectoire et se décrocher du ciel. Pattes tendues en avant, corps oscillant, vol devenu erratique, elles se laissèrent tomber, soudain gauches et vulnérables, quelques mètres en avant des deux hommes. À l'ordre hurlé par le guide, le chasseur se redressa et tenta sans succès de trouver au bout de sa ligne de mire les oiseaux reprenant leur vol en panique. Cette fois, fermant les yeux à chaque pression de son doigt sur la détente, il tira ses trois cartouches, mais un peu au petit bonheur, dans le vent, ne provoquant que le criaillement courroucé des oies s'échappant vers la mer. Un long silence succéda aux brefs claquements de culasse du fusil rechargé par Georges. Son guide semblant peu enclin à commenter, le client crut bon de s'excuser de nouveau.

— Je suis désolé.

— Pas de quoi! Vous aurez peut-être plus de chance à la prochaine passée.

— Ça doit être décevant pour vous, vous vous êtes donné tant de mal...

— Y a rien là! Mais c'est pas toujours que vous aurez des tirs aussi faciles que ceux-là.

— Je crains bien de ne pas être trop doué pour la chasse. Qu'en pensez-vous?

— Tout le monde peut manquer son coup. Pis, n'importe comment, mon opinion a pas grande importance. Vous avez payé, pis cher, pour être icitte. C'est ben de vos affaires si vous tirez pas juste. À part de d'ça, on va en revoir des oiseaux, ça fait qu'vous allez pouvoir vous reprendre.

— Vous croyez?

— Cachez-vous mieux que ça! Les oies s'approcheront jamais de nous autres si le canon de votre fusil dépasse du trou de même.

— Ah, bien sûr. Comme ça, ça va?

— Ça devrait. Mais dites-moé don, c'est quand même pas la première fois que vous allez à la chasse à l'oie?

— Mais si...

— Vous avez déjà chassé avec un guide, par exemple?

— Non...

— Ah bon... Euh, je m'excuse de vous demander ça, mais ça se peut quand même pas que ça soye la première fois que vous allez à la chasse tout court?

— Mais si...

— Ah ben, j'ai mon voyage! Ça s'peut pas!

— Vous voyez, je viens de tirer les premiers coups de fusil de ma vie et, compte tenu de ma réussite, je doute fort d'en tirer jamais beaucoup d'autres.

— Ben ça alors! Et pour votre première partie de chasse, vous vous offrez Grande-Île!

— On peut dire ça comme ça, oui...

— Ouais, faut pas savoir quoi faire de son argent, au prix que ça coûte icitte.

— Détrompez-vous, je ne suis pas riche.

— Allons don, pour faire un grand voyage de même!...

— Ça m'a effectivement coûté une bonne partie de mes économies, mais je ne l'ai pas fait pour chasser...

— Ben là, excusez, j'comprends pus! Si vous l'avez pas fait pour chasser, c'est pour quoi don d'abord que vous l'avez fait?

— Pour venir vous voir.

Le guide accusa le coup. Il se rencogna contre le rocher, perplexe et soudainement inquiet. Son visage maigre et tourmenté pâlit. Que pouvait bien lui vouloir ce type-là? Il avait l'air plutôt aimable, en fait assez insignifiant. En même temps, c'est vrai, quelque chose dans le personnage intriguait vaguement Georges depuis le premier moment de leur rencontre. Maintenant qu'il y pensait, il avait été surpris, la veille, à l'arrivée de l'hélicoptère qui amenait les touristes à Grande-Île, de constater l'intérêt que ce chasseur-là lui avait immédiatement manifesté. Georges n'était pas habitué à pareille considération. Son physique austère, son peu d'aménité faisaient que d'ordinaire les chasseurs l'évitaient et le laissaient à l'écart, ce dont il s'accommodait fort bien. D'autres étaient là, payés par la Société de développement de la Baie James, pour accueillir les touristes et s'occuper d'eux. Lui n'était que le gardien du camp, l'homme à tout faire. C'est lui qui restait seul dans l'île en permanence, hiver comme été, à surveiller le riche campement de chasse que la Société avait ouvert douze années plus tôt. Il entretenait la génératrice, les pompes à eau, s'occupait de la petite station de météo que la Société avait cru bon d'installer près du camp, donnait un coup de main au cuistot durant la saison et engageait les guides de chasse inuits. Normalement, c'étaient ces guides-là qui accompagnaient les chasseurs et ils le faisaient du reste très bien. Georges, lui, chassait seul, à l'occasion; le plus souvent, il se contentait d'observer les oiseaux.

Oui, à la réflexion, ça l'avait bien un peu surpris que l'autre insistât tant pour l'avoir, lui, Georges, comme guide, plutôt qu'un de ces Inuits. Il n'y avait pas prêté assez attention. Il avait connu par le passé quelques riches clients un brin racistes, des Américains surtout, qui ne souhaitaient pas la compagnie d'Inuits. Il s'était dit que ce devait être le cas de celui-là, mais, là encore, en avait gardé une impression bizarre... De ça, puis de la dégaine du gars, tellement différente de celle des visiteurs habituels de Grande-Île. Ceux-là sont invariablement riches. Les chasseurs européens surtout, des présidents de compagnie pour la plupart,

véritables «m'as-tu vu dans mes beaux habits de chasse», costu-
més chic, bardés de cuir, chapeautés de feutre et gantés fin. Ils
débarquent dans l'île avec pour armes des fusils à canons super-
posés, deux coups, superbes, ciselés d'argent à leurs initiales et
magnifiquement entretenus. À l'évidence, ils en tirent une
grande fierté, se les montrent et les comparent en longs palabres
techniques accessibles aux seuls initiés. Les Américains sont bien
différents, autant d'argent probablement, mais moins d'affectation et de classe. Eux, c'est à qui aura les vêtements les plus riches,
les plus chauds, le dernier cri des tissus de camouflage, des cha-
peaux de cow-boy aux teintes invraisemblables, en fait le plus
souvent des horreurs dont rient sous cape les Inuits. Ceux-là ont
surtout des armes automatiques, de ces fusils à répétition que
méprisent les chasseurs des vieux pays.

L'inconnu, mal fagoté, bonnet et gants de laine grise, bottes
ordinaires, même pas fourrées, un «douze» à pompe, bas de
gamme, en fait de fusil, détonnait à Grande-Île. Georges songea
qu'il aurait dû se méfier davantage. Son visage se durcit.

— Quessé que vous me voulez? finit-il par lâcher en des-
serrant à peine les lèvres.

— Vous parler.

— Vous pouviez pas le faire au camp?

— Non. Je voulais vous parler seul à seul.

— Pourquoi? Je vous connais pas.

— J'ai un message pour vous.

— Eh ben, dites-le!

— Quelqu'un que vous connaissez m'a demandé de venir
vous voir.

— Ça se peut pas! Quasiment pus personne me connaît en
bas! C'est qui?

— Paul...

— Paul? Ça s'peut pas!

— Mais si...

— Paul vous a demandé à vous de venir me parler?

Six oies sortirent en criaillant de la brume, emplissant le ciel de leurs cris gutturaux. Absorbés dans leurs pensées, les deux hommes n'y prêtèrent guère attention, mais se turent un moment. Les oiseaux survolèrent lentement la scène. Finalement, le silence de ces formes muettes au sol ne leur inspirant guère confiance, ils s'en désintéressèrent, glissèrent sur l'aile pour prendre leur vent et disparurent dans la grisaille aussi soudainement qu'ils en avaient émergé.

— Quessé qui s'est passé, m'sieur?

— Il est mort.

Le grand guide accusa le coup. Ses épaules tombèrent. Ses yeux se fixèrent sans voir loin sur la mer.

— Paul, mort... Ça fait longtemps?

— Une quinzaine de jours.

— Et vous êtes venu jusqu'ici pour me le dire?

— C'est ça, oui.

— Mais, pourquoi?

— Parce qu'il me l'avait demandé.

— Parce qu'il vous l'avait demandé... Et vous, vous êtes venu jusqu'à Grande-Île, comme ça, juste parce qu'il vous l'avait demandé...

— Mais oui. Voyez-vous, je suis en convalescence, j'avais le temps.

— Pis à part de d'ça, vous êtes pas riche.

— En tout cas, pas comme vos autres clients que j'ai vus au camp...

— Non, ça s'peut pas! Faut qu'y ait aut' chose!

— Mais non, ne cherchez pas ailleurs, j'aimais bien Paul, c'est tout.

— Paul...Vous le connaissiez bien, Paul?

— Non. Je ne le connaissais pas vraiment. Mais ça n'empêche pas que je l'aimais bien.

— Vous l'aimiez bien pis vous le connaissiez pas... Y est mort pis vous êtes là avec moé dans le Nord... On est à la chasse aux oies pis vous chassez pas! Faut m'expliquer, m'sieur, faut m'expliquer...

Des oies cacardaient au loin. L'étranger semblait gêné, indécis. Prisonnier du grand guide qui maintenant ne le lâchait plus des yeux, il posa précautionneusement son fusil devant lui, s'adossa à la roche et parut hésiter, comme s'il ne savait par où commencer son récit. Finalement, la tête entre les mains, il entreprit son histoire d'une voix calme et basse, coupée de temps à autre par les criaillements d'oies traversières.

— Vous comprenez, je suis malade, Georges, un grand malade. Ma maladie, je l'ai dans la tête. C'est dans un hôpital psychiatrique qu'on me soigne. C'est là que j'ai connu Paul. Excusez-moi, je raconte mal. Bon, faut que je vous parle un peu de moi. Vous comprendrez mieux pourquoi je suis là aujourd'hui avec vous.

J'ai, une ou deux fois l'an, des fois un peu plus, ce que des médecins appellent des «bouffées délirantes», d'autres ont des mots plus compliqués pour parler de mon mal. Ce que je sais, moi, c'est que certains matins je me réveille tout croche, bizarre... C'est moi et ce n'est plus moi. Je ne contrôle plus rien dans ma tête. La mécanique est toute mélangée. Je n'ai plus mes marques habituelles, je parle très fort et confusément. Tout se bouscule en moi, tout veut sortir de ma cervelle. Du plus profond de mon être, des souvenirs explosent. Cela dure quelques heures, parfois une journée. Je parle, je parle tant... Et puis, d'un coup, je me tais, épuisé, usé. Pendant les huit jours qui suivent, prostré, gris, muet, je récupère, incapable de faire le moindre geste, de manifester la moindre émotion, le moindre sentiment. C'est comme si les ressorts tendus entre mon cerveau et le reste de mon corps étaient brisés... et je n'ai rien d'autre à faire qu'attendre qu'ils se reten-dent.

Les miens ont pris l'habitude de mon mal. Vous savez, pour le reste, je réussis assez bien mes affaires, j'ai une bonne famille, des enfants qui m'aiment, ma propre petite entreprise d'édition et, ma foi, ça ne va pas si mal. Mais il y a ces crises. Dès que la phase délire est passée, ma femme me fait discrètement hospitaliser dans un centre psychiatrique des Hautes-Laurentides, toujours le même. On m'y connaît bien, je pourrais presque dire que j'y ai mes habitudes. Je reste généralement une semaine à l'hôpital, inerte sur mon lit, aussi pâle que mes draps, nourri par intra-veineuse, me fondant dans le décor, aussi absent qu'un meuble. Mais ce qu'ils ignorent tous, c'est que, durant ce temps, le cadavre que je suis voit tout, entend tout, emmagasine tout. C'est dans cet hôpital-là que j'ai connu Paul.

— Paul était là-dedans?

— Oui, c'était mon voisin de chambre lors de mon dernier séjour. On l'a amené presque en même temps que moi. J'ai en-tendu les infirmières dire que c'était un trappeur, une espèce d'ermite qui vivait seul en pleine forêt dans la région. Des gardes qui le connaissaient étaient passés par sa cabane pour le saluer, l'avaient trouvé en plein délire, et l'avaient conduit, non sans mal, à l'hôpital. Faut dire que ses crises à lui étaient d'une violence inouïe. Il fallait l'attacher sur son lit quand ça le prenait, et ça le prenait souvent. Il avait l'air de souffrir atrocement, parlait d'un train, de la mort, hurlait parfois aussi votre nom, Georges, et voulait s'enfuir. Vous le connaissez, il était bâti très fort, alors, pour en venir à bout, les médecins devaient lui donner des doses massives de calmants. Pour sûr, c'était efficace, le pauvre finissait par sombrer dans l'inconscience, mais, de plus en plus ses inconsciences ressemblaient à des comas. Un jour, j'ai entendu les infirmières se chuchoter qu'à ce rythme il n'en aurait plus pour long-temps, que ce n'était qu'une question de jours qu'une crise lui soit fatale.

Nous étions tous deux seuls dans cette chambre. Des fois, lorsque ses crises lui laissaient quelque répit, il essayait gentiment d'engager la conversation avec moi. Mon mal le troublait. Il semblait désolé devant ma face gelée, mon corps sans vie et mon silence. Il en parlait parfois au personnel de l'hôpital. Son intérêt me touchait profondément, mais je ne pouvais lui manifester aucune reconnaissance. Moi, ses crises me bouleversaient et je n'étais pas le seul, infirmières et médecins aussi paraissaient affectés de le voir ainsi souffrir et s'autodétruire. Il fallait qu'ils s'y mettent à cinq ou six pour le maintenir quand ça le prenait et qu'il nous hurlait qu'il entendait son maudit train. J'étais fasciné par ces bribes que nous entrevoyions de l'histoire confuse et sombre qu'il semblait revivre. J'aurais voulu pouvoir lui parler, l'aider, l'encourager peut-être, mais je ne lui renvoyais que l'image de la mort. Pendant les cinq jours que nous avons passés ensemble dans cette chambre, s'est-il rendu compte que je le comprenais? Je ne le saurai jamais. Ce devaient être les derniers moments de sa vie.

— M'sieur! M'sieur... des oies! Elles viennent à gauche de vous. Grouillez pas, j'vas les appeler...

— Laissez faire, je ne tirerai plus.

— Comme vous voudrez. Cachez-vous quand même. Regardez-les, regardez-les, les maudites...

— C'est beau, par exemple!

— Ouais, tout un spectacle! Ces oies-là, on dirait qu'elles viennent de nulle part crier sur nos têtes, pis qu'elles repartent de même... nulle part.

— Et après elles, le silence.

— Ouais... Le silence de Grande-Île. Y est terrible quand les oies sont parties pis qu'y a pus que le vent.

Les deux hommes se turent, chacun perdu dans ses pensées. D'autres oies passaient au loin. Une volée de bruants nordiques se posèrent bruyamment sur les rochers voisins. Deux secondes de piaillements, puis un cri aigu quand l'un d'eux découvrit les humains. La volée s'égailla.

— Paul, se hasarda le guide, vous étiez là alors quand il est mort?

— Oui. Je ne l'ai ni vu ni entendu mourir, mais j'étais là, à ses côtés, quand c'est arrivé. Simplement, à un moment, j'ai réalisé qu'il ne respirait plus. Ça s'est passé de nuit, doucement.

— Comment?

— Son cœur s'est arrêté pendant son sommeil. Le mal dans sa poitrine avait rapidement dégénéré. De délire en délire, on le voyait décliner. Chaque fois, ses traits se creusaient et il perdait des forces. L'hôpital a fait venir spécialement pour lui un cardiologue de Montréal. Je l'ai entendu confier aux infirmières que c'était la fin, qu'il n'y avait aucun espoir. Dès lors, ils ont cherché s'il y avait de la parenté à prévenir. Devant moi, ils ont demandé au malade s'il voulait qu'on avertisse quelqu'un de son état, qu'on fasse venir un de ses proches. Il a secoué la tête et n'a pas desserré les lèvres.

— Ça fait que personne est venu?

— Si, la veille de sa mort, une femme, «sa» femme ont dit les infirmières que la visite tout à fait inattendue avait paru surprendre... Faut dire que, moi aussi, elle m'a surpris, je veux dire cette femme. Elle était belle, soignée, triste, seule... Ah, je m'exprime mal! Je ne sais pas bien parler des femmes! Elle est entrée sans bruit. Il dormait. Elle n'a pas fait attention à moi. Elle s'est assise doucement à son chevet et l'a regardé. Elle pleurait en silence, sans rien faire pour dissimuler ou essuyer ses larmes. Brusquement, il a dû souffrir, il a eu un mouvement dans son sommeil et son visage s'est crispé. Alors, avec infiniment de douceur, elle a pris dans ses mains sa grande main osseuse pendant hors du lit. Il s'est réveillé. Le peu qu'ils se sont dit à ce moment a été chuchoté à voix si basse que je n'en ai pas compris les mots. C'est surtout elle qui parlait. Ils contrastaient singulièrement: elle, si vivante, à la fois lointaine et désirable, lui, déjà hors du temps. Mais, grâce à cette étrange lucidité qui est la mienne lorsque je suis ainsi, coupé du monde des vivants, je pouvais ressentir l'intensité de l'amour qui liait ces deux êtres...

— C'était Madeleine...

— C'est effectivement le prénom que je l'ai entendu prononcer lorsqu'elle a quitté la chambre... Vous la connaissez?

— Je l'ai jamais vue...

— Il est resté un long moment sans bouger après son départ. Le soir tombait, son dernier. La pénombre envahissait la chambre. C'est alors qu'il s'est tourné vers moi et m'a parlé. Ses mots sont toujours dans ma mémoire. Il m'a dit: «Je ne sais pas, l'homme, je ne sais pas ce qu'est votre mal ni même si vous m'entendez. Ce que je sais, c'est que moi, je vais mourir.» Incapable de lui répondre ou de lui faire quelque signe de compréhension, je le fixais de mes yeux sans expression. «J'ai déjà vécu trop longtemps, a-t-il continué, plus que je le méritais. Je suis maudit, l'homme, maudit.» Et c'est là, comme on met un message dans une bouteille à la mer, sans grand espoir que jamais il arrive, qu'il m'a confié cette mission à votre intention.

— Quessé qu'il a dit, au juste?

— J'entends encore sa voix, il a dit: «J'avais un seul ami, monsieur, et j'aimerais ça qu'il soit prévenu de ma mort. Y a une île dans le bas de la baie d'Hudson qui s'appelle Grande-Île, c'est là qu'il est. Il y vit seul, sauf à l'automne où il reçoit des chasseurs d'oies. Je ne sais pas comment vous pourrez l'avertir, mais faudrait lui dire que j'aurais bien voulu pouvoir lui parler, ce soir, avant de partir. Son nom, c'est Georges. Cet homme-là, c'est mon frère.»

Après ça, il m'a regardé longuement, avec un sourire de dérision devant mes traits figés, comme s'il était conscient de l'inutilité de sa tentative. Puis, son visage s'est décomposé. Il m'est apparu complètement désemparé, sans que je puisse définir de quelle douleur au juste il pouvait bien souffrir: sa poitrine ou sa tête... Alors, dans un dernier effort, il a chuchoté: «Ami, faudrait dire à Georges que je suis mort d'avoir pas pu oublier, il comprendra. »

Il m'a souri tristement un bon moment, puis il s'est tourné. Tout était gravé pour toujours dans ma tête. À l'aube, le médecin a constaté son décès. Deux jours plus tard, je sortais de l'hôpital, remis sur pied, l'esprit refait. C'était il y a douze jours... et me voilà aujourd'hui avec vous...

— Ouais...

— Vous ne dites rien...

— Non... C'est bien d'être venu. Tout ce long voyage pour ça, comme ça... Vous étiez pas forcé... C'est drôlement bien d'être venu... Des oies arrivent, cachez-vous, s'il vous plaît. Donnez-moé votre fusil. Les autres au camp, y comprendraient pas qu'on r'vienne de même, sans avoir rien tué.

Quatre grandes oies blanches sortirent de la brume et baissèrent sur la cache aux appels du guide. Posément, il tira trois fois et trois des oiseaux tombèrent lourdement dans le sable, près de l'eau. Sans le recharger, il rendit le fusil à son client. Une fine pluie commençait à tomber, obscurcissant le littoral. Machinalement, le grand guide s'en fut ramasser les oiseaux qu'il avait tués et revint à la cache.

— Pis maintenant, je suppose que vous voulez savoir?

— Comment cela?

— Ben, notre histoire à mon frère et à moé.

— Vous ne me devez rien.

— Si, la vérité.

— J'ai fait ce que j'avais à faire en venant ici. Je n'ai pas besoin d'en savoir plus!

— Si! Allez, questionnez-moé!

— Vous m'ennuyez...

— Allez, je vous dis!

— Depuis combien de temps vivez-vous à Grande-Île?

— Douze ans.

— Et Paul, depuis combien de temps vivait-il seul dans le bois?

— Dix ans. Il avait réussi à toffer deux ans de plus que moé.

— Que voulez-vous dire?

— C'est long, triste, compliqué...

— Il y avait plus qu'une amitié de frères entre vous, n'est-ce pas?

— Pas plus... autre chose.

— Vous voulez dire un drame, ce drame, cette histoire de train?

— C'est ça, ouais... J'en ai jamais parlé à personne, et Paul non plus, j'en suis ben çartain, en a jamais dit mot... même pas à Madeleine, je l'sais! Même que c'est d'ça qu'est mort... C'est un secret terrible qu'on avait là, tous les deux...

— Vous n'êtes pas obligé de me le confier. Je ne vous en demande pas tant...

— Si, vous êtes là, pis j'vas vous l'dire!

— Je suis venu pour Paul, parce qu'il me l'avait demandé. Vous, je vous le répète, vous ne me devez rien!

— Si, faut que je le dise! Aussi ben pour vous que pour lui... pis que pour moé, allez. Comment que vous voulez que je continue à vivre avec ça dans la tête, tout seul, maintenant que mon frère est mort?

— Laissez faire! Rentrons. Il pleut. J'ai froid!

Des oies criaillaient violemment dans la pénombre au-dessus des deux hommes. Dressé droit dans le couchant, cheveux ébouriffés dans le vent, le guide, immense, soudain inquiétant, hurla pour couvrir les criaillements:

— C'est moé, vous m'entendez, c'est moé seul qui veut parler! Vous m'écouterez!

Les oies s'enfuirent dans une cacophonie démente. Un long silence succéda au vacarme.

Georges ramassa ses oies de bois, abandonnant les papiers que la marée montante ne tarderait pas à faire disparaître.

— Venez, dit-il calmement. Rentrons. C'est long ce que j'ai à vous raconter. Demain, nous reviendrons ensemble et je vous dirai tout.

*

* *

— Paul, c'était mon jeune frère, pas tout à fait trois ans de moins que moé. On était des p'tits gars des Hautes-Laurentides où que nos parents avaient une farme pis une terre à bois, là justement où Paul avait bâti la cabane où il vivait ces dernières années...

Un jour lugubre se levait sur la grève devant la cache. Dans la grisaille, on distinguait à peine le bord de la mer. Tout était uniformément gris, sombre, mélange de brouillard, de fin de nuit et de manque de soleil. Un vent violent balayait la côte désolée de Grande-Île, amenant aux deux hommes de lointains cris d'oies. Georges avait expliqué à l'autre qu'à son avis un camp de quelques milliers d'oiseaux devait être au repos dans la baie, pas très loin d'eux, au large. Les hommes s'étaient abrités du mieux qu'ils pouvaient dans la cache et Georges avait parlé.

— On a été élevés ensemble à la dure, pas pauvres mais pas riches non plus. L'école, c'était pas trop fait pour nous. On n'y est pas allés plus qu'y fallait. Non, nous on était plutôt de la graine de p'tits gars d'bois, pêcheurs, trappeurs, braconniers... Rendus dans la vingtaine, on a commencé à faire les chantiers du Nord, toujours tous les deux. On n'acceptait pas d'embauche si on n'était pas pris ensemble. On a bûché, conduit de la machinerie lourde, fait de l'arpentage. On était costauds, tranquilles, pas des gars pour faire du trouble, on n'avait pas d'mal à s'trouver des places.

Ça a fini par nous amener sur la Côte-Nord vers soixante-cinq. On s'est fait embaucher par l'Hydro-Québec dans les chantiers de la Manic. Là, pour des gars comme nous, c'était le paradis : de la grosse ouvrage, mais les payes étaient bonnes, la nourriture abondante, pis on pouvait chasser, pêcher, trapper dans l'boutte et on s'en privait pas. On était dans la trentaine quand on est arrivés là, pis on y a passé dix ans de notre vie, nos plus belles années, je dirais.

À la Manic, tu rencontrais pas ben de femmes. Nous, en tout cas, on n'en a pas trouvé qui nous plaisaient. Ça fait que, sans le vouloir, la vie le tricotant pour nous, on est restés vieux garçons tous les deux. Quand ça l'a ralenti sur la construction des barrages, on a décidé de rester sur la Côte-Nord. La compagnie de minerai d'fer de Sept-Îles, l'Iron Ore, embauchait. On s'est fait recruter sans mal, Paul et moé... Pis c'est là, maudite affaire, qu'y nous ont proposé de nous former pour conduire un d'leux trains. Les payes étaient meilleures, on a accepté. Connaissez-vous ça, la Côte-Nord, vous m'sieur ?

— Ma foi, non.

— Dans ces années-là, ça vivait surtout de l'exploitation du minerai d'fer que les grandes compagnies vont chercher encore plus au nord, ras la frontière du Labrador. Entre la côte du golfe pis les montagnes de fer du Nord, l'Iron Ore a construit une ligne de chemin d'fer pour sortir le minerai. Quand vous lâchez la côte, dret vers le nord, c'est vite le désert, la toundra : l'été, juste du roc, de l'eau, des lichens, quèques aulnes pis des épinettes ; l'hiver, la neige pis quasiment rien d'autre. Y a donc là c'te voie de chemin d'fer : des centaines de milles de tracks, direct vers le pôle. Cinq ans qu'on allait travailler là, Paul et moé, à conduire ce maudit train de minerai. Paul était le mécanicien, j'étais le chauffeur.

Le jour où ça nous est arrivé, y f'sait ben doux, grand soleil. C'était, attendez voir, c'était en septembre 1980, en plein dans le

100

temps de la chasse aux caribous. Y pouvait être une ou deux heures de l'après-midi. Partis la veille au soir de Schefferville, au nord, on en était à la quatorzième heure de notre voyage. C'est sûr qu'on était fatigués. C'est pas des trains rapides qu'on avait là. Quand on redescendait comme ça vers Sept-Îles, on était chargés à bloc. Plus d'un mille de wagons qu'a tirait la locomotive, ça fait qu'on dépassait jamais le vingt, vingt-cinq milles à l'heure. Je conduisais. Paul était à côté d'moé, près de la fenêtre, de l'autre bord de la loco. Je trouvais ça dur... Je m'endormais...

On venait de traverser un grand lac, un endroit que je connaissais vu que l'hiver on y voyait toujours la neige toute pleine de pistes de caribous, pis même des fois des animaux. Ça s'est passé au sortir d'une longue courbe, ousseque la voie passait dans des espèces d'éboulements de rochers couverts de quèques touffes d'aulnes. Tout d'un coup, j'oublierai jamais... «As-tu vu?» qu'a hurlé Paul. Il m'a réveillé. Pas de doute, je m'étais assoupi un moment. Il me regardait d'un air bizarre, une espèce d'expression de peur que je lui connaissais pas sur la face. J'y ai répondu «non». Il a rien dit tout de suite. Il avait ouvert la fenêtre de son bord, se penchait, s'agitait, se repenchait. «Ben quoi? que j'y ai demandé, fâché, qu'est-ce t'as?» Et c'est là qu'y m'a sorti: «Georges, je suis pas sûr, je regardais le lac pour voir si y avait pas des caribous, mais j'crois ben qu'on a frappé un gars!» Vite, j'ai jeté un œil derrière, de mon côté. J'ai rien vu. J'y ai demandé si lui y voyait de quoi. Il s'est retourné une autre fois, a ben cherché du regard un long moment. Il a fini par m'dire que non, y voyait rien...

Et pendant ce temps-là, le train continuait... Pis là, je sais pas comment vous expliquer ça, m'sieur, mais on n'a rien fait. Tiré de mon sommeil, c'était comme si je rêvais encore. J'ai pas eu le réflexe d'arrêter la machine... Non, j'l'ai pas arrêté, le maudit train! J'ai même pas essayé de freiner... rien! C'est vrai qu'au poids qu'on transportait, ça nous aurait pris au moins deux milles avant d'immobiliser les wagons. C'est vrai itou qu'un train de même, ça peut pas reculer... Mais non, je peux même pas dire que j'ai pensé à tout ça. J'ai jamais pensé à arrêter. C'est dur d'essayer de vous expliquer quèque chose que je comprends toujours pas moi-même! C'est comme si on n'y croyait pas, qu'on voulait pas y croire; comme si je voulais pas admettre que j'avais dormi comme un incapable pis que j'avais p'tête fait rouler mon train sur un gars. Tout ça, c'était comme pas possible dans ma tête, comme si j'avais juste fait un mauvais rêve. Paul disait pus rien. Il avait arrêté de regarder par en arrière. Plutôt, comme moé, il restait le regard fixé sur la voie en avant... En fait, toués deux on avait peur... peur d'imaginer ce qu'on laissait derrière nous.

Ça fait que, mille après mille, on s'est éloignés du cauchemar. On a roulé comme des machines, sans rien se dire, au moins une heure. Les mêmes idées devaient nous trotter dans la tête: des histoires de primes qu'on aurait perdues si on avait pris du retard; l'espoir aussi que Paul s'était trompé, qu'il aurait pu mal voir, ou ben encore que le gars, admettant qu'y aye ben eu un gars devant la machine, avait été rien que bousculé, qu'il s'en tirerait. Après tout, le train roulait si lentement, ça se pouvait quasiment pas qu'un homme le voyant arriver sur lui se laisse frapper sans parvenir à se tasser. Je me disais qu'au pire, si on l'avait touché, il avait sans doute de ses chums dans le boutte avec lui qui le sortiraient de d'là. Quèssé qu'un gars tout seul aurait ben pu faire dans une place de même! Toutes des maudites raisons, ouais! Je vous les dis, mais sûr qu'au fond de nous-mêmes on pensait surtout qu'un homme était p'tête là-bas, près du lac aux Caribous, en train de mourir à cause de nous autres...

Des oies passèrent juste au-dessus de leurs têtes. Georges cette fois n'avait pas installé de leurres au sol. Les deux hommes avaient décidé sans s'en parler de ne pas chasser, même si le client avait apporté son fusil. Le vent portait des brins d'écume marine qui les mouillaient comme un crachin... Sur le fond incroyablement sonore des criaillements violents des oiseaux qui les survolaient de temps à autre mêlés aux lointains et incessants jacassements de la colonie d'oies en avant d'eux et aux hurlements du vent, la voix de Georges fascinait l'étranger.

— La fois d'après qu'on est remontés à vide à Schefferville, bien sûr que là on s'est arrêtés. J'ai pas eu de mal à retrouver la place. J'ai stoppé le train quelques centaines de pieds avant la courbe où Paul avait crié, pis on a cherché, mon frère et moé, chacun d'un bord de la track. Ça pas été ben long. Un homme était là, affalé sur une talle de broussaille. Y était mort, pas ben joli à voir. Sa jambe était dans un état épouvantable, écrasée juste en bas du genou. Il s'était mis ben en vue pour qu'on le voye du train. C'était un chasseur. Sa carabine avait déboulé dans les pierres à quelques pas plus bas que lui. Voilà...

— Mais que faisait-il sur la voie, je ne comprends pas? risqua l'étranger après avoir longuement respecté le mutisme du guide. Cet homme-là ne marchait pas sur la voie, quand même. Paul l'aurait vu... Et puis, vous alliez si lentement... Il aurait dû vous voir ou à tout le moins vous entendre venir. C'est inconcevable qu'il se soit laissé frapper. Il faut qu'il y ait eu autre chose!

— Ouais, y a eu autre chose...

— Un suicide?

— Vous n'y êtes pas. C'est ben plus simple que ça.

— Je ne vois pas.

— Il dormait.

— Hein!

— Ben oui, il dormait sur la voie. Il a dû se réveiller au dernier moment, essayer de se lever mais le train était déjà sur lui. Il aura pas été assez rapide et on l'a pogné à la jambe.

— Excusez-moi de vous demander cela, mais enfin, comment pouvez-vous en être si sûr?

— Maudit péché, parce qu'il nous l'a dit!

— Je ne comprends plus. Vous venez de me dire...

— Qu'y était mort quand on l'a trouvé, c'est vrai. Mais il avait une enregistreuse autour du cou...

— Un magnétophone?

— C'est ça, ouais, une affaire à batteries pis cassettes. Tenez la v'là!

Le grand guide sortit de son parka un magnétophone de poche noir qu'il mit d'autorité dans la main de l'étranger soudain très mal à l'aise et réticent. Ce dernier n'osait serrer les doigts. Le petit appareil tenait fort bien dans sa paume. À la simple pression machinale de son index sur une touche sensible du flanc du boîtier, un minuscule point rouge s'alluma et de lointains grésillements se firent entendre. La bande tournait. Le geste incertain, le chasseur dut, pour entendre, porter la machine à son oreille. Ce faisant, il eut l'impression très nette de se rendre coupable de quelque chose, comme si, en écoutant cette bande, il participait contre sa volonté à un acte terrible, comme s'il devenait un peu le complice des deux frères et leur compagnon de malheur. Mais comment échapper à Georges qui ne le quittait pas du regard! En frémissant, il écouta la voix d'outre-tombe. Elle était haletante, rythme haché, entrecoupé de longues pauses où l'on n'entendait plus que la respiration du blessé...

«Maudit, quelle chose stupide j'ai faite! J'ai laissé mon pied sur la voie ferrée. J'étais bien. Je dormais au soleil. J'ai jamais entendu venir le train. Le conducteur m'aura pas vu. Bon Dieu! J'ai mal. Ouais, ça m'a tout l'air que c'est mon dernier enregistrement que je fais là. Quelle connerie! Faudra bien que quelqu'un écoute cette bande un jour. Voilà, je m'appelle Robert Villeneuve. Je suis auteur. Enfin, disons que j'essaie de vendre les textes que j'écris. C'est pour ça que j'ai toujours une enregistreuse de poche sur moi quand je suis à la chasse, pour garder des idées, des sensations qui me viennent quand je suis dans la nature et m'en souvenir ensuite quand je suis à mon bureau. Aujourd'hui, je chassais le caribou. Personne sait même que j'étais là. J'aime ça être tout seul à la chasse, moi. Cela dit, en y pensant bien, je vais en crever. Le temps que vienne un autre train, j'aurai eu cent fois le temps de passer l'arme à gauche. Faut-il être stupide pour se faire prendre ainsi! Et dire qu'il doit passer ici un train par trois jours et qu'il a fallu qu'il passe pendant ces cinq minutes où j'ai dû dormir dur! J'ai laissé mon canot à une bonne dizaine de kilomètres d'ici, bien dissimulé pour pas qu'un Indien de passage ne me le prenne. On ne sait jamais. Cela dit, beau crétin, personne ne le verra, personne n'aura donc l'idée de me chercher par ici. Qui saura que je vais mourir ici si les gars du train ne me repèrent pas? Il faisait beau. J'avais tant marché depuis ce matin. Je me suis reposé au bord de la voie ferrée. C'est là, dans le vent en haut du talus, qu'il y a le moins de mouches. J'étais bien, au soleil, peinard. J'ai dormi comme un bienheureux et mon pied aura glissé sur le rail sans que je m'en rende compte. C'est la fin. Je sens que je pars. Qu'est-ce que je vais faire?»

Il y eut un déclic dans l'enregistrement. L'étranger regarda Georges.

— C'est terrible. Pauvre type...

— Vous en êtes oussequ'il dit qu'il sent qu'il part?

— C'est ça, oui...

Georges parut hésiter.

— O. K.! rendez-moé la machine, y a pus rien après! finit-il par lâcher, reprenant le petit appareil du même geste brusque qu'il avait eu pour le donner à l'autre. Là, vous savez tout de cette histoire maintenant. Paul pis moé, on a tué cet homme-là!...

— Mais c'était un accident.

— Non! On s'est sauvés comme des voleurs! Pis je comprends toujours pas pourquoi qu'on a faite ça, nous autres! Bon sang de sort, j'arrive pas à me mettre dans tête qu'on l'a laissé finir comme ça! On aurait pu le secourir, l'aider, le sauver, p'tête... Entécas pas le laisser crever d'même comme une bête... Mais non, on a filé comme des malfaisants!

— Vous n'auriez probablement pas pu arrêter l'hémorragie!

— Possible! Mais même si y avait eu juste une petite chance de le sauver, voulez-vous ben me dire, vous, pourquoi que cette maudite petite chance là, on l'a pas essayée, nous autres! En tout cas, on l'aurait pas laissé s'éclater la tête comme il l'a fait pour en finir. Pourquoi, hein ! pourquoi qu'on l'a pas arrêtée notre satanée locomotive ? Pourquoi que je sentais tant que ça les wagons de minerai me pousser dans le dos ?

— Allons, calmez-vous, balbutia le client.

— Vous avez raison, soupira Georges. On a enterré le gars avec sa carabine sous des pierres sans se dire un mot, Paul et moé. On a mis une petite croix de branches d'épinette sur sa butte, pis on est remontés dans notre machine et le train est reparti. On n'en a jamais pus entendu parler, pis on s'en est quasiment pus jamais reparlé ensemble non pus. Pis vous v'là aujourd'hui, douze ans après... Pis, Paul est mort.

— Vous n'avez jamais pu oublier, vous non plus...

— Comment voulez-vous...

— Faut essayer, Georges !

— Pas capable ! La fois d'après qu'on est retournés à Sept-Îles, Paul a trouvé une excuse pour laisser la compagnie. Moé, j'ai toffé encore une couple de voyages, pis j'leux ai dit que j'aimais pus ça travailler de même dans le Nord sans mon frère et j'ai lâché itou.

— Vous êtes allé retrouver Paul ?

— Non. Nous qu'on s'était jamais quittés de notre vie, me demandez pas pourquoi, on est partis chacun de notre bord, honteux, finis...

— C'est immédiatement après que vous êtes venu à Grande-Île ?

— Presque, oui. J'ai été chanceux. Je me suis présenté comme un ancien de la Manic au bureau d'embauche pour aller sur les chantiers de la Baie-James. Ils prenaient personne sur la construction des barrages, mais y avait cette place de gardien à Grande-Île dont personne voulait. Je l'ai prise pis je l'ai pus lâchée.

— Et depuis, vous vivez seul à Grande-Île ?

— Ouais... à part qu'y a les Inuits et les chasseurs qui s'en viennent chaque automne.

— Cette solitude, c'est terrible!

— Non, je garde le camp! J'ai toujours une ou deux bricoles à faire. J'ai tout ce qu'y me faut! Chus pas plus mal icitte qu'ailleurs! Pis, y a les oies...

— Paul aussi avait choisi la solitude, seul dans le bois, trappeur...

— C'est ça! On était de la même écorce toués deux! Comme les vieux mâles orignaux qui s'en vont seuls dans le plus creux du bois quand y sentent que leur temps est faite... Nous autres, on s'est cachés pareil, avec la honte en dedans...

— Mais, attendez... Vous m'avez bien dit, hier soir, que Paul vivait seul dans le bois depuis dix ans. Oui, je me souviens très bien de vos paroles. Vous avez dit: «Il a réussi à tenir le coup...», non, vous avez plutôt dit «à toffer deux ans de plus que moi», oui, c'est ça, vous vous souvenez?

Le grand guide, le regard sur la mer, restait de bois.

— Paul, insista gentiment le chasseur, Paul a-t-il vraiment essayé de refaire sa vie pendant ces deux années?

— Ouais! finit par laisser tomber l'autre, comme à contre-cœur.

— Comment?

— J'ai rien à dire là-dessus!

— Vous ne souhaitez pas en parler?

— Non!

— L'avez-vous vu avant de partir pour Grande-Île?

— Ouais! J'étais allé y faire mes adieux...

— Et l'avez-vous revu après?

— Jamais. Il m'a écrit, par exemple, une fois, au moment où il a décidé de partir seul pour le bois, y a dix ans, pour m'expliquer... Oh, pas une grande lettre, mais je savais...

— Ah bon... Écoutez, vous ne voulez pas m'en parler, tant pis, mais j'avoue que, rendu là, j'aurais aimé savoir, pour votre frère...

Un long moment, le guide resta imperturbable, face à la mer. Et puis, peu à peu, ses épaules se voutèrent. Lentement, ses yeux quittèrent la baie et son regard fixe et inexpressif se posa sur le chasseur. Celui-ci, gêné, parut s'en vouloir d'en avoir demandé tant. Mais il n'eut pas le temps de se dérober.

— Après tout, c'est vrai, lui dit Georges en le regardant en pleine face, pourquoi astheure que je vous dirais pas toute?... Ben oui, y a eu ces deux ans ousseque Paul a essayé de continuer à vivre comme les autres. Il a pas pu. C'est dur, la vie, hein m'sieur! C'est don dur... Pour lui, c'est devenu terrible...

— Mais je comprends mal la profondeur de ce sentiment de culpabilité dans le cas de Paul. Excusez-moi de vous dire cela, mais enfin, c'était vous le plus coupable des deux. C'est vous qui dormiez alors que vous conduisiez ce train qui a estropié ce pauvre type, vous seul qui, en fin de compte, avez pris la décision de ne pas arrêter la locomotive. L'auriez-vous fait que votre frère ne s'y serait certainement pas opposé. Je comprends très bien qu'en trouvant Villeneuve mort vous, Georges, vous vous soyez senti coupable et que, depuis, vous ayez des remords, mais, en toute logique, votre frère, lui, aurait dû pouvoir s'en tirer un peu plus facilement, oublier peut-être, ou à tout le moins finir par s'accommoder de ce mauvais souvenir et continuer à vivre...

— Il aurait dû...

— Mais alors, pourquoi cette hantise mortelle? Il y a forcément autre chose. Pendant ces deux années, il a dû essayer de s'en sortir...

— Vous voyez clair, m'sieur. Oui. Il a essayé.

— Mais alors?

— Alors, il a pas pu!

Georges contemplait de nouveau la mer, la tête dans le vent, les traits durs, figés. Il nota, sans y prêter grande attention, que le troupeau d'oies qu'il entendait depuis le matin ne cessait de se rapprocher. Sans même regarder l'homme, il ressortit de sa poche la petite enregistreuse et la lui tendit.

— Je ne vous ai pas tout dit, m'sieur. Y avait autre chose sur la cassette. Laissez tourner la bande, c'est pas mal plus loin. Le mort avait laissé un message.

Avec la même appréhension, le même demi-dégoût, le client reprit l'appareil et le porta à son oreille. Il n'entendit d'abord que des crachotements entrecoupés de déclics métalliques, puis, d'un coup, la voix torturée de Villeneuve le fit sursauter.

«Ce coup-ci, je crois que c'est fini. Je souffre le martyre et je n'ai plus aucune illusion. La nuit s'en vient. Je ne m'en sortirai pas. J'ai ma carabine. Je sais ce qu'il me reste à faire. J'ai peur. À ceux qui me trouveront et écouteront cette bande, rendez-moi, je vous en prie, un service. Je viens d'enregistrer un message sur une autre cassette que vous trouverez dans la poche droite de ma veste de chasse. C'est pour une femme à Montréal. J'ai écrit son adresse sur la cassette. Au moment de mourir, c'est à elle que je pense. Dites-le lui, par pitié. Le reste, elle l'écoutera sur la cassette. Allez la voir et donnez-lui. Faites-le! je vous en supplie... Allez, salut! J'en veux à personne...»

Dernier déclic et plus rien, juste le ronronnement de la bande se déroulant à vide. Les deux hommes restèrent un long moment silencieux, écoutant le vent et les criaillements des oies sur la mer, de plus en plus proches, mais qu'on ne distinguait pas encore dans le brouillard.

— Cette cassette?... finit par lâcher le chasseur, l'enregistreuse toujours à la main.

— Paul l'a prise et, quand il est parti, c'est à Montréal qu'il est allé direct pour la donner à la femme...

— Je comprends.

— Non, vous comprenez pas...

— Comment cela? Il a vu cette femme?

— Ouais...

— Il lui a donné la cassette?

— Non, m'sieur. Curieux des fois, hein, comme les choses se passent comme si on pouvait rien y faire. Il est allé à l'adresse qu'y avait sur la cassette. Il a vu la femme, m'sieur. Je vous expliquerai pas, moé, comment ça s'est passé entre eux deux, mais Paul a vite compris qu'elle l'aimait pas, le Villeneuve, qu'elle l'avait jamais aimé, que lui la voulait, mais qu'elle en voulait pas. Ça fait qu'il a pas su comment lui parler de tout ça et lui faire le message du mort. La maudite cassette, il lui a pas donnée.

— Mais il aurait pu la lui faire parvenir d'une autre façon, simplement la poster et se débarrasser ainsi de la corvée...

— Pensez ce que vous voulez. C'est pas ça ce que lui a fait. Il l'a jetée, la maudite cassette. Personne l'a jamais écoutée...

— C'est donc cela... je comprends... C'est cela qui l'aura rongé par la suite, cette idée qu'il n'avait pas respecté la dernière volonté du pauvre type...

— Non, vous ne comprenez pas, m'sieur... La femme, c'était Madeleine...

— Hein! la femme de l'hôpital?

— Eh oui, m'sieur!... Madeleine... Ce qui s'est passé, hein, ça appartient qu'à eux autres... Moé, ce que je sais, c'est qu'entre Paul et cette femme-là, il y a eu quèque chose d'immédiat et de bien plus fort qu'eux. C'était comme s'il avait vécu jusque-là que pour se donner à elle, pis elle pareil. C'est comme ça, m'sieur. Elle aimait pas Villeneuve, mais là, elle a tout de suite aimé mon frère, simplement, totalement... Voyez, m'sieur, il n'y a eu qu'une femme importante dans la vie de Paul, pis l'a fallu pour leur malheur à tous deux que ce soit elle, Madeleine, la seule avec qui il pourrait jamais oublier et vivre.

— Comme ça, il ne lui a jamais dit pour Villeneuve?

— Il a pas pu, m'sieur. Il a jamais pu! On n'est pas des tueurs, nous autres, m'sieur, on n'est pas des lâches, ni des sans-cœur, ni des menteurs, non plus... Y pouvait pas se montrer comme quèqu'un capable d'en laisser crever un autre seul der-rière lui. Surtout à elle qu'il aimait comme il savait même pas qu'il était capable d'aimer...

— Et il n'aura pas pu oublier...

— Et le malheur a jamais pu sortir de sa tête. Il a ben essayé de la rendre heureuse... deux ans. Au boutte de d'ça, il a ben compris qu'il s'en sortirait pas, qu'il était maudit, comme moé, plus que moé p'tête... C'est pour ça qu'il est parti tout seul là oussequ'y savait qu'y pourrait p'tête toffer, dans l'bois, dans l'bois de notre enfance...

— Et elle n'aura jamais su pourquoi?

— Jamais, c'était notre affaire à tous les deux.

— C'était donc ça, ce secret, ce mort entre vous...

— Ce mort qu'on n'avait pas voulu, qu'est venu comme ça dans nos vies, d'un coup, juste pour mourir... pis qu'a toute gâ-ché...

— Ce mort dont personne ne s'est soucié, que personne n'a vu, que personne n'a cherché... juste une croix dans l'infini du Nord.

— Pis le remords dans nos têtes, m'sieur... pis la honte.

— Vous vous êtes jugés, Paul et vous, et vous vous êtes bannis, condamnés au manque d'amour, à la solitude, à la folie.

— C'est ça, m'sieur, à la folie...

— Misère! Ah! ces cris! ça devient insupportable!

L'immense colonie d'oies avait dérivé jusque devant les deux hommes. Certains oiseaux, maintenant parfaitement visibles, n'étaient plus qu'à quelques mètres d'eux. Le bruit des milliers de criaillements était énorme, affolant. Brusquement, Georges se déplia et sortit des rochers. Affolées, les oies les plus proches déployèrent leurs ailes et donnèrent l'alarme. Tout le groupe leva par cascades successives dans un bruit d'apocalypse qui remplit tout le ciel.

— Regardez-les, m'sieur! Regardez les oies! C'est comme le malheur! Ça vient de nulle part, pis ça jappe, pis ça tourne au-dessus de nos têtes, pis ça s'en va comme c'est venu, nulle part, et d'un coup le ciel est vide et y a pus d'espoir! Astheure, oubliez Paul, m'sieur, oubliez-moé itou! Un jour, plus très loin maintenant, moé aussi, comme Paul, je tomberai fou, pis là, je partirai... nulle part... et personne me cherchera, comme çui qu'on a tué, Paul pis moé... Et là, jamais pus on me reverra, comme les oies, m'sieur, comme les oies de Grande-Île...

Le don de Marie

Le vieux trappeur finit d'arrimer sa réserve d'essence à la remorque de la motoneige déjà lourdement chargée de marchandises sèches et d'une bonne partie de son équipement d'hiver fraîchement nettoyé. Le ciel était clair sur la côte. Il pensa qu'il aurait beau temps pour voyager le lendemain.

Il partirait très tôt, avant l'aube. Cette fois, il ne serait absent que six mois. Il reviendrait en mai au village, avant les grands dégels.

Il faisait froid. Il se sentait seul, las et vieux...

★
* *

La voiture roulait lentement sur l'avenue des Pins. Il avait neigé tout l'après-midi sur Montréal. Il tombait encore quelques flocons épars. Les bureaux du centre-ville s'étaient vidés plus tôt que d'habitude. Il n'était que sept heures, mais il n'y avait déjà presque plus de circulation. Arrivé à l'intersection de l'avenue du Parc, le chauffeur bifurqua à droite et s'engagea sur les larges voies du parc Mont-Royal, longeant les terrains de sport désertés. La ville était silencieuse, tous ses bruits, comme ceux de l'auto, étouffés par la neige. Il conduisait attentivement, prenant soin de garder ses roues dans les couloirs parallèles que les automobilistes avant lui avaient tracés dans la neige fraîche. Passé la statue des tam-tams où les jeunes s'éclatent les dimanches d'été en se grisant de percussions et de musique afro-cubaine, il prit à sa gauche avec l'idée de s'engager sur la Côte Sainte-Catherine, le plus court chemin pour se rendre à son petit appartement de la rue Édouard-Montpetit.

Au bas de la côte, il s'arrêta aux feux de circulation. Un jeune punk se précipita sur son pare-brise et le lui nettoya énergiquement d'une dizaine de coups habiles de sa raclette de caoutchouc. Une opération totalement inutile, les essuie-glaces faisant fort bien leur travail dans ce type de neige légère. Il ouvrit néanmoins la fenêtre, remercia le jeune et lui tendit une pièce d'un dollar, oubliant son réflexe de flic qui l'aurait incité à lui demander ce qu'il fichait dehors à son âge et par ce temps pourri. Après tout, celui-là essayait de se débrouiller et il fallait une certaine dose de vaillance ou être acculé à une foutue misère pour tenter ainsi, par ce froid de fin novembre, de gagner quelques sous dans la rue. Il en voyait tellement d'autres qui tombaient directement dans la mendicité agressive ou la délinquance.

Au feu vert, au moment de démarrer, il parut hésiter, jeta un œil sur le raidillon de l'avenue du Mont-Royal, à gauche, et changea d'idée. Au fond, décida-t-il, autant monter directement vers le cimetière et rejoindre Édouard-Montpetit par le bout de l'université. Il vérifia si personne ne le suivait, vira et entreprit de grimper le flanc de la montagne. C'était là le chemin qu'il prenait le plus souvent, au moins depuis ces derniers mois. Seule la crainte qu'il avait de déraper dans la neige fraîche l'avait poussé d'emblée à penser prendre tout droit sur Côte Sainte-Catherine-où la pente est plus douce. En fait, songea-t'il, il aurait eu tort, le raidillon où les cols bleus de la ville venaient d'épandre du sel se montait fort aisément. Il n'eut aucun mal à atteindre le haut de la côte et tourna à droite juste avant le cimetière. Il aimait cette partie de la montagne, l'un des quartiers les plus luxueux de Montréal. Certes, la chaussée du raidillon avec ses bosses et ses fissures de dégel était l'une des pires de Montréal; bien sûr, ça rallongeait un peu le trajet, mais, une fois au sommet, le chemin au milieu de toutes ces demeures magnifiques était tellement agréable! Tout l'été, il l'avait parcouru à pied, admirant le travail des paysagistes et des jardiniers que peuvent s'offrir certaines grosses fortunes. Il connaissait parfaitement l'endroit maintenant.

En débouchant sur le plateau, il ralentit, comme chaque fois qu'il empruntait ces rues cossues, spacieuses et calmes. Soudain, sans avertissement, il immobilisa son véhicule au beau milieu d'un croisement de rues désertes, face à une grosse maison de pierre de taille intensément éclairée par deux lampadaires voisins. La demeure était particulièrement luxueuse, à n'en pas douter l'une des plus belles de ce quartier huppé. Des rideaux opaques masquaient toutes les fenêtres de la façade et du côté du bâtiment que l'on pouvait voir de l'auto. La neige devant la vaste entrée du garage double n'avait pas été enlevée depuis les premières chutes d'octobre. Elle apparaissait uniforme et immaculée, tout comme était vierge de traces le court sentier menant sous de grands sapins à la porte d'entrée de la demeure. Il se pencha pour apercevoir les marches du perron. Pas de traces dans la neige là non plus. Il leva son pied de la pédale du frein et la voiture automatique repartit aussi doucement qu'elle était arrivée. L'arrêt n'avait pas duré plus de trois secondes.

Mais il savait qu'il ne pouvait s'être trompé. La riche demeure pouvait bien avoir l'air déserte, il avait vu, un instant plus tôt, en doublant l'arrière de la maison, un mince filet de lumière vive soulignant le châssis d'une des salles de bain du rez-de-chaussée.

Il s'engagea dans la rue voisine et gara la voiture sans bruit le long du trottoir. Machinalement, il s'assura qu'il avait bien à l'aisselle son arme de service et sortit de l'auto. Il connaissait la propriété, savait qu'elle était également accessible du côté jardin. C'est là qu'il se dirigea, faisant un petit détour dans le quartier pour ne pas avoir à passer dans la lumière de la façade.

Le trait lumineux avait disparu à la fenêtre des toilettes lorsqu'il atteignit l'arrière de la maison. Il nota sans surprise dans l'entrée de service une trace de pas que la neige n'avait pas encore tout à fait recouverte. Elle allait vers la porte et n'en revenait pas. Quelqu'un était dans la maison. Il sortit son pistolet et l'empoigna dans la poche de son manteau. Il sonna, recula d'un pas dans la pénombre et attendit.

«C'est toi, Claude?», s'enquit de l'intérieur une voix pressée et autoritaire. Il grogna en réponse un vague son de fond de gorge que l'autre devrait pouvoir prendre pour un assentiment et, effectivement, la porte s'entrouvrit. Il la poussa énergiquement de l'épaule et entra. Le vestibule était sombre, mais pas plus que ne l'était la cour arrière et, les yeux faits à l'obscurité, il distingua nettement l'ombre massive qui lui faisait face dans le corridor. Il la reconnut immédiatement et en ressentit une surprise profonde d'une intensité qu'il n'avait pas souvent éprouvée dans sa vie. «Monsieur Fragon, bégaya-t-il, Roger Fragon lui-même!»

Il était à la fois soulagé de constater qu'il n'avait pas surpris une quelconque fripouille et absolument éberlué par la rencontre. Il devina que l'autre, immobile, le fixait intensément sans qu'il puisse voir ses traits. Il tourna un instant la tête pour fermer soigneusement la porte et allumer la lumière. Quand il se retourna, son visage n'exprimait plus que son affabilité coutumière. Il souriait, l'air amène, au déplaisir évident de l'autre devant lui. L'homme était comme on est lorsqu'on est chez soi. C'était un type de taille moyenne, barbu, brun, tempes éclaircies, les manches de chemise retroussées sur des avant-bras poilus et musculeux, la quarantaine, peut-être un peu plus. On le sentait sûr de lui. Son faciès était plutôt sévère. Pour l'heure, il affichait une totale hostilité.

— Que voulez-vous?

— Mais oui, c'est bien vous, monsieur Fragon. Maigri, peut-être un peu, la barbe un brin plus longue, sans doute, mais c'est bien vous, je n'en reviens pas...

— Qui êtes-vous? Que voulez-vous?

— Mais tout d'abord vous saluer, cher monsieur Fragon. Vous ne pouvez pas savoir le plaisir que j'ai de vous rencontrer ce soir.

— Foutez-moi le camp, ça presse !

— Laissez-moi donc me présenter...

— Dehors !

Fragon, l'air de plus en plus mauvais, se préparait de toute évidence à charger. Le sang lui montait au col, ses poings étaient serrés. L'autre lui tendit précipitamment sa carte.

— Inspecteur Roland Marcoux, Service des enquêtes spéciales, Sûreté du Québec.

Fragon lui arracha le papier des mains. En homme habitué à ne rien laisser au hasard, il le scruta minutieusement, passant plusieurs fois, l'air méfiant, de la photo qu'il avait sous les yeux au visage de l'homme qui souriait aimablement devant lui. Sa puissante carrure bloquait le corridor et rien dans sa physionomie ne semblait prêt à s'amadouer. Il lui rendit le carton sans un mot.

— Ma visite n'a pas l'air de vous enchanter. C'est le moins qu'on puisse dire !

— Je n'ai pas le temps de vous recevoir maintenant. J'attends quelqu'un...

— Mais oui, j'ai entendu cela. Claude, disiez-vous à la porte. Attendez voir. Mais oui, bien sûr, Claude Gladu, votre homme de confiance à la compagnie, n'est-ce pas ?

— Exact ! Bon, vous m'avez vu. C'est bien moi, et moi j'attends Gladu. Vous me dérangez et...

— Je vous dérange ? Voyez-vous ça ! Puis-je néanmoins vous suggérer de me laisser entrer...

— Je n'ai pas le temps ! Je viens de vous dire...

— Que je vous dérangeais, oui, je sais. Hélas, il n'en demeure pas moins que j'aimerais tout de même entrer et vous parler.

— C'est non! Je n'ai rien à vous dire!

— Ce qui est votre droit le plus absolu. Je n'ai pas de mandat de perquisition. Vous n'avez pas votre avocat avec vous, rien ne vous oblige à me recevoir.

— Alors bonsoir!

— Seulement... Seulement, me semble que vous n'apprécieriez pas que je demande ce mandat en grande urgence sur la radio de mon auto et que, dans quelques minutes, la rue soit pleine de voitures de police... Les sirènes, les gyrophares, dans un aussi beau quartier...

— Qu'est-ce que vous voulez?

— Mais vous parler, monsieur Fragon! Simplement vous parler!

— C'est bon. Entrez! Mais je vous préviens, je n'ai que très peu de temps à vous consacrer.

— Oui, oui, je sais. M. Gladu s'en vient.

L'inspecteur entra et entreprit d'ôter son manteau et ses couvre-chaussures. Il se sentait d'excellente humeur. En fait, il n'en revenait pas: quelle chance inouïe lui tombait du ciel! Et dire qu'avec un tout petit peu plus de neige il aurait passé par la Côte Sainte-Catherine, ratant ainsi le sieur Fragon. Celui-ci, sans plus s'occuper de lui, était parti au salon. Il rangea soigneusement côte à côte ses couvre-chaussures neigeux sur le paillasson près de la porte, prit le temps de bien disposer son manteau sur un cintre de la garde-robe et ses gants sur une table basse et rejoignit le maître de céans, non sans, au préalable, avoir remis son pistolet dans son baudrier d'aisselle.

Il trouva Fragon assis près d'un guéridon de bois artistiquement ouvragé, feuilletant du courrier, les sourcils froncés derrière des lunettes d'écaille qui lui donnaient l'air encore plus sévère.

— Vous m'excuserez d'interrompre votre lecture, monsieur Fragon... Je suis réellement très content de vous voir, vous savez!

— Bon! Allons au fait.

— Quel intérieur magnifique que le vôtre, monsieur Fragon! Il faut que je vous dise mon admiration puisque j'ai cette chance inespérée de vous parler en personne! Vous avez le goût très sûr! Croyez-moi, tous les millionnaires ne sont pas installés avec autant de classe et de réussite que vous l'êtes ici. Je m'en fais la remarque à chacune de mes visites dans cette maison...

— Comment ça, à chacune de vos visites?

— Oh, mais ce n'est pas la première fois que je viens chez vous, vous savez! Comment, vous l'ignoriez? Se peut-il que vous n'ayez jamais entendu parler de moi? Vous avez lu les journaux, tout de même?

— Je ne vous connais pas!

— Mais moi, je vous connais bien, monsieur Fragon, tout comme je connais très bien cette superbe demeure. Tenez, soyez gentil, allons plutôt dans votre bureau. Suivez-moi, je vous prie.

Cette histoire d'aller dans le bureau plutôt que de rester au salon, c'était de la pure improvisation artistique et l'inspecteur se trouvait sacré bon flic. Il savait qu'ainsi il commençait d'inverser les rôles, prenait de l'ascendant sur Fragon qui ne pouvait faire autrement que le suivre. Maintenant, il jouissait de voir l'autre obligé de se lever et lui emboîter le pas en maugréant. Il sentait l'homme d'affaires nerveux, sur la défensive, mal à l'aise en dépit de sa richesse, de son prestige social, de sa force et de son assurance naturelle. Ça l'excitait. Travailler dans le sordide, ce qui était trop souvent son lot de policier, faire avouer de vagues crapules sans envergure le rebutait d'emblée. Mais là, avoir pour lui seul un homme de cette trempe à cuisiner, et tenter de comprendre cette affaire qui le laissait dans le noir absolu depuis le premier jour de l'enquête, faisait naître en lui une fébrilité de chasseur tout à fait extraordinaire. C'est dans de tels cas, hélas bien peu fréquents, qu'il adorait son métier.

Arrivé au bureau de Fragon, il ne put résister au malin plaisir de s'asseoir d'autorité derrière la grande table, dans le fauteuil de l'autre.

— Vous ne voyez pas d'objection, j'espère, à ce que je prenne votre place au bureau?... Vous êtes fort aimable! Eh, que l'on est bien assis dans votre fauteuil! Que voulez-vous, c'est un de mes défauts, j'aime le luxe. Et chez vous, alors là, pardon! Quel cadre de travail! Tout ici est tout simplement magnifique! Au fond, je suis un sentimental, un émotif... On ne devrait pas s'attacher tant que cela aux choses matérielles...

— Où voulez-vous en venir?

— Ainsi, voyez-vous, moi qui ai passé des journées et des journées assis à ce bureau, des nuits à dormir quelques heures sur ce canapé, eh bien, je sens que plus tard je regretterai de ne plus voir cet intérieur, ces meubles de style et tous ces objets superbes. Je me dis Roger Fragon est revenu, c'est probablement la dernière fois que je vois ce décor et, que voulez-vous, on ne se refait pas, c'est plus fort que moi, ça me rend nostalgique...

— Vous vous foutez de moi?

— Mais pas du tout!

— J'attends toujours que vous me disiez le pourquoi de votre visite...

— Vous attendez... Le mot est joli! Si vous saviez seulement ce que j'ai pu vous attendre, moi.

— Qui êtes-vous?

— Celui que l'administration policière québécoise paie depuis bientôt un an, assez chichement il est vrai, pour tenter de savoir ce que vous êtes devenu, cher monsieur Fragon. Intéressant, non? Non, ça n'a pas l'air de vous intéresser particulièrement. Un an, attendez voir... oui, il y aura un an dans cinq jours exactement, vous, monsieur Fragon, une des figures de proue du Tout-Montréal, vous disparaissiez, comme ça! Plus de Fragon! Parti! Enlevé? Mais oui, enlevé! Dix témoins des plus fiables pour le confirmer. Une affaire incroyable! Un des hommes d'affaires les plus en vue du Canada est kidnappé en plein conseil d'administration par un sinistre inconnu armé d'un fusil de chasse. Toutes les polices d'Amérique du Nord sont sur les dents. Interpol est mise dans le coup. Tout le Québec, que dis-je, le Canada entier se passionne pour votre histoire. Et puis... et puis plus rien! Rien ne se passe! Le ravisseur parle une fois, puis ne donne plus aucun signe de vie, jamais plus! La presse pendant plus d'une semaine fait ses premières pages avec vous, puis se lasse. On vous suppose mort... Ma foi, un peu plus et on vous oubliait! Et voilà, je sonne ce soir à votre porte et qui vient m'ouvrir? Vous-même en personne, tel qu'on vous a toujours décrit, bougon, pressé et pas content d'être dérangé, par-dessus le marché! Et vous avez le front de me demander à moi qui ai passé toute cette année à tenter de démêler cette affaire et à essayer sans succès de vous retrouver ce que je peux bien vous vouloir ce soir!

— C'est ça!

— Mais votre histoire, mon cher monsieur, rien de moins que votre histoire. Je veux que vous me racontiez ce qui vous est arrivé, ce que vous avez fait durant toute cette année.

— Suis-je tenu de vous répondre?

— Ben, me semble que la coutume veut qu'on réponde aux questions d'un flic. La prudence, aussi. Vous ne dites rien. Notez bien que vous pouvez exiger l'assistance de votre avocat. C'est même une chose que mon devoir de policier m'impose de vous demander de bien considérer.

— Un avocat? mais je ne comprends pas. Je ne vois absolument pas de quoi je pourrais bien avoir à me défendre devant vous.

— Je vous le demande!

— Suis-je en quelque manière suspect d'un acte criminel?

— Qu'allez-vous chercher là! Mais non, jusqu'à preuve du contraire, vous êtes une victime, monsieur Fragon. Moi, ce que j'en dis, c'est juste que je tiens à vous informer de ce que sont vos droits. Effectivement, rien ne vous oblige formellement à répondre comme ça sans aide ni préparation à mes questions. Seulement...

— Seulement?

— Seulement, moi, je pourrais vous convoquer officiellement demain à mon bureau...

— Faisons cela!

— En obtenant dès ce soir votre assignation à résidence, ce qui me permettra de faire surveiller votre maison pour être bien certain de vous voir demain à notre rendez-vous. Je ne voudrais surtout pas prendre le risque de vous voir disparaître de nouveau, et, voyez comme je suis, j'ai comme l'intuition que ce risque existe! Bien sûr, j'aviserais aussi quelques bons amis journalistes de votre retour. Que ne feraient-ils pas, hein, les journalistes pour un bon scoop! Je les vois d'ici, plantés devant votre porte, grimpant à vos fenêtres pour tenter de vous prendre en photo, campant tout autour de votre propriété pour être bien sûrs d'être les premiers à vous voir et à vous filmer. Me semble que filer à la sauvette dans ces conditions ne vous sera pas bien facile, monsieur Fragon!

— Je ne veux pas de journalistes ici!

— Ah, comme je vous comprends! Maudite engeance que la presse, hein! En confidence, je ne l'aime pas beaucoup moi non plus, allez! Mais, que voulez-vous, faut faire avec et, vous savez, même si ce n'est pas moi qui les avise, les journalistes finiront bien dans les heures qui viennent par apprendre votre retour et je vous jure qu'à ce moment-là, cela fera du bruit.

— Vous croyez?

— Si je crois! Mais vous êtes l'un des hommes les plus célèbres au Canada, monsieur Fragon! Vous l'étiez déjà, un peu, avant votre enlèvement, mais alors là, depuis, n'en doutez pas, c'est la gloire, la gloire totale! Ce rapt dans vos bureaux du centre-ville: une réalisation admirable! Ce grand type inconnu avec son fusil de chasse qui, visage découvert, vient vous chercher comme ça, en plein milieu de votre conseil d'administration et disparaît devant tout le monde en vous poussant dans l'ascenseur, mais c'est du western, ça! Les gens adorent! Et la gueule de votre ravisseur! Un vrai John Wayne! Ah! notre portrait-robot a eu beaucoup de succès! Sauf qu'il n'a servi à rien. John Wayne a disparu et on n'a jamais retrouvé sa trace! Et vous voudriez aujourd'hui priver du mot de la fin tout ce beau monde qui s'est passionné pour votre histoire! N'y pensez pas, monsieur Fragon! Croyez-moi, vous aurez fort à faire pour garder votre secret... «Roger Fragon de retour à Montréal», «Affaire Fragon résolue», «Fin du mystère Fragon», je vois déjà les titres demain. Quel succès!

— Tout cela est complètement fou...

— Ah, vous n'appréciez pas? Que voulez-vous, c'est ça, être une star! On ne s'appartient plus! Les journaux ont tout raconté de l'enlèvement et de votre vie antérieure. À peine une demi-heure après le rapt, le ravisseur téléphonait ici. On n'avait même pas eu le temps de mettre votre ligne sur écoute. Mais, le plus simplement du monde, il a laissé son message dans votre boîte vocale, comme si ça ne l'ennuyait pas le moins du monde qu'on ait l'enregistrement de sa voix, comme ça ne l'avait absolument pas ennuyé de montrer son visage à une dizaine de témoins! Un drôle, que celui-là! J'ai donc hâte que vous m'en parliez! Il nous dit qu'il ne vous ferait pas de mal, de ne rien tenter pour vous retrouver, et d'attendre ses instructions. Le truc habituel, quoi. Sauf que là on a bien attendu, mais il n'a jamais rappelé. Le lendemain, l'affaire était dans tous les journaux. Les journalistes, comme nous, ont attendu... Au bout de quelques jours, ils ne savaient plus quoi écrire, ils avaient tout dit de vous, de votre petite enfance en Pologne, de votre adolescence en France, de votre arrivée au Canada à vingt ans, sans un sou. Vous étiez déjà seul et alliez le rester: des maîtresses à droite, à gauche, mais pas de mariage, pas d'enfants... Vous ne viviez que pour vos affaires, mais alors, quelles affaires! Petit réparateur de postes de télévision, vous allez devenir en moins de vingt ans le fondateur, président-directeur général et propriétaire unique de la plus grande chaîne d'équipement électronique au pays: Pacifique électronique! Chapeau, monsieur Fragon, chapeau!

— J'ai beaucoup travaillé...

— Mais je n'en doute pas une seconde! Je disais donc que jamais votre ravisseur ne devait plus donner de vos nouvelles, ni des siennes, ce qui m'est apparu et continue de m'apparaître d'ailleurs proprement stupéfiant. En fait, je peux bien vous l'avouer, je n'ai jamais rien compris, jamais rien senti dans votre affaire! Et, ne vous y trompez pas, je suis pourtant considéré à la Sûreté comme un expert dans le domaine des enlèvements crapuleux. Eh! que j'ai pu m'ennuyer en pensant à vous, monsieur Fragon! Chaque fois que l'on repêchait un noyé méconnaissable dans le fleuve, qu'on découvrait des ossements humains dans un bois, qu'on retrouvait un corps calciné dans un incendie, chaque fois, votre nom revenait à la surface et j'allais vérifier. Imaginez le travail sordide que j'ai dû faire à cause de vous, mon cher monsieur. Vous savez, il y a probablement bien peu de monde au Canada pour vous croire vivant aujourd'hui! Et pourtant, pas de doute, vous êtes là en personne devant moi ce soir! Je n'ose y croire...

— Mais, je ne me cache pas!

— Et pourquoi vous cacheriez-vous, je vous le demande?

— En effet! Je n'ai rien à me reprocher!

— Pourtant, ma visite n'a pas l'air de vous faire particulièrement plaisir.

— Oh, je me doutais bien qu'il faudrait que j'y passe un jour...

— Nous y voilà!

— Seulement, j'aurais préféré un autre moment que ce soir. Je suis fatigué. Je ne suis pas prêt. Je ne suis que depuis quelques heures à Montréal. Je me demande du reste comment vous avez fait pour me trouver, je veux dire qu'est-ce qui vous a donné l'idée de venir chez moi justement ce soir ? La maison n'était plus surveillée, tout de même.

— Bien sûr que non... Comment vous dire ? Voyez-vous, en fait, autant je ne comprenais rien à votre histoire, autant je ne pouvais me résoudre à vous croire mort. Je ne sais pas, moi : le visage découvert du ravisseur, son arme, ce fusil de chasse, sa voix au téléphone... Non, vraiment, je ne sais pas vous expliquer, mais pour moi tout cela ne pouvait pas aboutir à un meurtre crapuleux. Il fallait qu'il y ait autre chose. J'espérais bien qu'un jour on vous reverrait. J'aurais cru, par exemple, qu'une rançon aurait été versée avant votre retour. Or, si ça avait été le cas, je l'aurais su. Voyez, je suis encore plus surpris que vous de notre rencontre de ce soir. Pas de rançon payée, en tout cas pas encore, et je vous trouve ici, revenu chez vous comme si vous n'étiez parti que d'hier... Je vous le dis, je n'en reviens tout simplement pas !

— D'accord, vous me pensiez vivant, mais pourquoi votre passage ici, ce soir précisément ? Ne me dites pas quand même que vous veniez tous les jours sonner à ma porte ?

— De la chance, simplement de la chance, monsieur Fragon ! Votre affaire me restait sur le cœur. J'ai d'autres dossiers en cours, vous vous en doutez bien, mais, depuis le rapt, j'ai pris l'habitude de passer le soir devant chez vous en rentrant chez moi, pour voir, comme ça. Ça me rallonge à peine et j'adore le trajet. La neige m'a bien fait hésiter un peu aujourd'hui, mais finalement j'ai décidé de m'essayer et j'ai donc eu raison ! En roulant derrière la maison, j'ai vu un trait de lumière dans une salle de bain de l'arrière. Quelle chance, n'est-ce pas ! Ma foi, j'ai sonné à votre porte et vous savez le reste.

— Bon, si je n'ai pas le choix, allons-y ! Posez-moi vos questions, inspecteur !

— Oh, mais non, monsieur Fragon, c'est moi qui vous écoute. Je ne suis pas pressé, personne ne m'attend. J'ai toute la nuit. Vous pouvez prendre tout votre temps. Eh bien, voilà, je vous écoute.

Il dit et se blottit voluptueusement au fond du large fauteuil de cuir. Fragon, lui, se leva et marcha nerveusement dans la pièce. Il semblait hésiter sur la façon d'entamer son histoire et parut soulagé quand une sonnerie se fit entendre.

— Ce doit être ce bon M. Gladu, dit l'inspecteur.

— Je n'attends que lui.

— Eh bien, allez lui ouvrir, installez-le confortablement, avisez-le qu'il aura à patienter et revenez me voir vite, je me meurs d'impatience de vous entendre...

Fragon sortit du bureau. L'inspecteur s'étira longuement dans le fauteuil. Il était parfaitement satisfait de la tournure des événements. Il n'avait rien vu venir de ce dénouement qu'il sentait prochain. Pour une fois, la vie lui facilitait les choses. Il avait passé une journée morne et érodante au bureau et voilà que, sans avertissement, sa soirée s'annonçait passionnante. Il allait enfin connaître le fin mot de cette histoire qui le fascinait depuis un an.

Quelques minutes passèrent et l'homme d'affaires revint, bougon, soucieux, tendu. À voix basse, le regard fixe au tapis, il entreprit sans préambule un court récit que le policier écouta attentivement, avec de petits hochements de tête approbateurs quand, à de rares occasions, Fragon levait la tête et le regardait. Il fallait bien l'aider...

*

* *

— Alors, c'était donc ça...

— Oui, tout s'est passé comme je viens de vous le dire. J'ai moi-même manigancé ce pseudo enlèvement. Ma vie n'a jamais été menacée... Vous comprenez donc qu'il n'y a pas eu de rançon versée et qu'il n'y en aura jamais...

— Je vois...

— J'en avais assez des affaires, j'étais fatigué de cette vie mondaine que je devais mener, j'avais besoin de prendre du recul, de me mettre un peu à l'écart...

— Vous auriez pu prendre des vacances.

— Ce n'est pas mon style. Et puis mes gens m'auraient téléphoné à tout bout de champ pour savoir quoi faire. Mes amis, mes relations, tous ceux qui avaient pris l'habitude de profiter de moi ne m'auraient pas laissé en paix aussi facilement.

— Je comprends...

— Eh bien, voilà!

— Ce que je comprends un peu moins bien, monsieur Fragon, c'est votre *timing*, si vous me permettez l'anglicisme. Pourquoi avoir choisi de vous faire enlever la veille de cette transaction avec la Colombie-Britannique? Vous savez, là, cette importante chaîne de magasins que vous vous proposiez d'acheter, sur la côte ouest...

— Ah oui, bien sûr, je me souviens...

— L'affaire devait se concrétiser le lendemain même du jour où vous avez été enlevé. Rappelez-vous! Tous les détails de l'entente étaient quasiment réglés, vous aviez vos billets d'avion en poche. Il ne vous restait plus qu'à aller signer le contrat.

— Je sais, oui... Mais justement, ça me paraissait donner plus de crédibilité à ma mise en scène d'enlèvement. Qui allait bien pouvoir me soupçonner d'avoir imaginé cette disparition à la veille d'une transaction qui semblait à tous si importante pour moi?

— Pas bête ça comme réponse, monsieur Fragon... non, ce n'est pas bête du tout! Mais je vous ferai remarquer que l'argument aurait été aussi valable à votre retour de Vancouver. Qui aurait pu croire alors que vous puissiez souhaiter disparaître de façon aussi spectaculaire au lendemain d'une transaction qui vous aurait consacré comme le roi canadien de l'électronique?

— En fait, vous savez, la transaction n'était pas si importante que cela pour moi...

— Alors là, je dis attention! Vous êtes nettement moins crédible avec cet argument-là. Les sommes en jeu étaient considérables. N'oubliez pas que j'ai eu tout le loisir d'examiner les calculs de vos comptables. Vos espérances de profit en vous établissant solidement dans l'Ouest canadien étaient énormes... et vous n'avez pas la réputation, monsieur Fragon, d'être un homme d'affaires que les profits répugnent...

— Je sais, tout cela peut paraître confus, mais quand même, au fond, je ne souhaitais pas vraiment cette expansion en Colombie-Britannique. Il y avait trop de risques. Me faire enlever avant de signer, disparaître, c'était aussi le moyen pour moi de me retirer du marché sans perdre la face vis-à-vis de mes collaborateurs qui m'avaient assisté dans la négociation et sans passer pour un lâcheur vis-à-vis des vendeurs de Vancouver...

— Ah, là, c'est bien meilleur! Vous faites décidément mon admiration, monsieur Fragon! Bravo! Reste que vous aviez sacrément bien caché votre jeu à tout ce beau monde! Tous ceux que j'ai interrogés en rapport avec cette transaction ont été unanimes, à Montréal comme à Vancouver. Tous ont parlé de désastre et de catastrophe en constatant que votre absence empêcherait la signature de cette entente. Même que ça nous a amenés à enquêter chez vos concurrents pour voir si l'un d'eux n'aurait pas pu commanditer ce rapt avec l'idée de faire échouer votre projet...

— Vous avez de l'imagination...

— Pas tant que vous, cher monsieur, pas tant que vous... Tenez, il vous en fallait pour, à vos débuts, baptiser votre premier petit magasin du nom de Pacifique électronique. Déjà alors vous disiez à qui voulait bien vous écouter que vous deviendriez le numéro un canadien dans votre domaine et que ce jour viendrait lorsque votre empire s'étendrait *coast to coast* comme on dit, de l'Atlantique au Pacifique, ce Pacifique de votre raison sociale, votre but ultime. Et voilà que, la veille du jour où vous allez enfin réaliser le rêve de votre vie professionnelle, vous renoncez à votre ambition, et paf, le coup du fusil de chasse, je me fais enlever et je disparais! Moi, je ne demande qu'à vous croire, mais avouez que c'est un peu dur à avaler, non?

— Que vous dire? C'est pourtant ça. D'un coup, j'ai eu peur...

— Peur? Vous?

— Mais oui, j'étais un peu dépressif à cette époque...

— Dépressif! Allons bon! En tout cas, vous l'aurez bien caché à vos proches. Personne ne m'en a touché mot de votre foutue dépression. Et comme ça, du jour au lendemain, en pleine déprime, vous nous organisez un enlèvement aux petits oignons et réglez tous les détails de votre disparition. Ouais, c'est de l'efficacité, ça, monsieur!

— C'est ainsi!

— Et cet homme? Votre ravisseur, le grand type au fusil de chasse, auriez-vous l'obligeance de m'en dire un peu plus sur lui?

— Un ami. Il a agi à ma demande. J'aimerais autant qu'on le laisse en dehors de tout ça. Considérez-moi comme le seul responsable.

— Faudra pourtant bien que j'en sache davantage...

— Inutile. Je ne vous dirai rien de lui qui pourrait vous amener à l'identifier.

— «Si tu n'as rien d'autre à faire demain, m'enlèverais-tu avec ton douze, s'il te plaît?»... Excusez-moi, mais je suppose que ce n'est pas le genre de service que l'on peut demander à n'importe qui?

— C'est effectivement un de mes amis très proches...

— Monsieur Fragon, j'ai rencontré tous vos amis très proches...

— Pas celui-là, j'en suis bien sûr! Personne ne connaissait son existence! C'est un ami de mon enfance en Pologne...

— Allons bon! Un Polonais!

— C'est ça!

— On nous l'a décrit comme pas mal plus vieux que vous... Pour un ami d'enfance, ça fait un peu drôle, non?

— Il fait plus vieux qu'il ne l'est en réalité. Et après! La vie est plus dure à l'Est. Les gens vieillissent plus vite.

— Pauvres Polonais, dites-moi pas! Et bien sûr, personne n'aura vu le bonhomme avec vous tandis que vous prépariez le rapt?

— J'y ai fait bien attention.

— Sage précaution! Puis-je vous faire remarquer que je l'ai écouté et réécouté de nombreuses fois au téléphone, monsieur Fragon, votre ami polonais. Un pur accent du terroir québécois. J'hésitais, pour ma part, entre la Beauce profonde ou l'intérieur gaspésien: plus habitant que ça, moi je n'en avais pas entendu souvent...

— On avait répété...

— Solide performance!

— Écoutez, que vous me croyiez ou que vous ne me croyiez pas m'est strictement égal. C'est ma version des faits et je m'y tiens.

— Pensez-vous?

— Je comprends que cette affaire soit fort ennuyeuse pour la police en général et pour vous en particulier. Mais enfin, que je sache, il n'y a rien dans tout cela de tout à fait illégal ou de criminel à proprement parler, non? J'ai inventé une mise en scène qui m'a permis de me mettre une année à l'écart des affaires. Bon! que cela ait mis la police sur les dents, j'en suis désolé. Que ce soit fâcheux pour des gens comme vous, soit, je l'admets. Que la police puisse me poursuivre pour cela, parfait. Faites-le si ça vous chante! Je suis prêt à faire face à la musique! Mais, cela dit, ce n'est pas moi qui ai demandé que l'on déclenche tout ce cirque de recherches et qu'on en fasse un show dans les médias! Parlons net. Je suis prêt à reconnaître toute ma responsabilité dans ce simulacre de rapt. Si l'on juge que je dois rembourser certains frais occasionnés par l'enquête, eh bien, soit! Mes avocats étudie-ront cela! Mais, de grâce, maintenant, laissez-moi tranquille pour ce soir!

— Très bien, cette idée de remboursement éventuel, très bien... Mais, dites-moi, où étiez-vous pendant toute cette année, monsieur Fragon?

— Mais je vous l'ai dit tout à l'heure: dans le Sud.

— Vous m'avez dit «dans le Sud», cher monsieur, mais puis-je vous demander d'être un brin plus précis: où ça, dans le Sud?

— En Californie du Sud, dans un petit village isolé à l'inté-rieur des terres, chez des ramasseurs d'oranges mexicains.

— Des Mexicains, maintenant! Mais tout ça devient très international! Et je suppose que, pour ne pas nuire à ces gens-là, vous ne tenez pas à me dire le nom du village ni où il se trouve.

— Non!

— Ben voyons!

— Mais pourquoi vouloir en savoir plus, à la fin? Je vous dis que j'endosse toute ma responsabilité dans ce simulacre d'enlève-ment! Que vous faut-il de plus? Pour le reste, et particulièrement pour tout ce qui a trait à ma vie privée, ce que j'ai bien pu faire durant cette année et avec qui j'ai frayé, je ne vois pas pourquoi j'aurais des comptes à vous rendre là-dessus! Je prétends que ça ne regarde pas la police québécoise et j'ai la conviction que mes avocats...

— Que vos avocats gagneraient sur ce point-là? Mais j'en suis persuadé moi aussi, monsieur Fragon... Mais, dites-moi, votre teint est bien pâle, cher monsieur, pour quelqu'un qui vient de passer un an entre Los Angeles et San Diego!

— Vous m'emmerdez!

— Bon, oublions cela! Reprenons, voulez-vous, votre «version des faits», comme vous dites! Un peu mal pris par le développement de vos affaires, un peu lassé par vos relations mondaines, vous décidez de disparaître. Justement, un de vos amis d'enfance, un homme de confiance, est de passage à Montréal et personne ne le connaît dans votre entourage. Vous sautez sur l'occasion. Vous parvenez à le convaincre de vous servir de ravisseur et vous le cachez soigneusement jusqu'à l'heure dite. L'affaire est belle, et ce monsieur vous enlève devant maints témoins pendant une réunion du conseil d'administration de Pacifique électronique. Tout va bien, et vous disparaissez: un an à ramasser des oranges, tranquille, loin des importuns... Et c'est tout à fait par hasard, dirais-je par malchance, que je vous rencontre ce soir alors que vous avez décidé de faire un bref saut à la maison. Ai-je bien résumé?

— C'est tout à fait cela.

— Vous m'avez dit également qu'il s'agissait là de votre premier retour à Montréal depuis l'enlèvement, n'est-ce pas?

— Exact.

— Je vous crois sur ce point. M'est avis, du reste, que ce pourrait être là la seule chose vraie que vous m'ayez dite jusqu'ici.

— Pensez ce que vous voulez!

— Monsieur Fragon, n'êtes-vous pas las de mentir?

— J'ai dit vrai et je vous répète que vous m'emmerdez!

Chacun s'abîma dans ses pensées. L'inspecteur goûtait chaque minute de la soirée avec délectation, prenant un malin plaisir à faire durer les choses. Pas besoin de détecteur de mensonges, il sentait que Fragon ne lui disait pas la vérité... et cela l'intriguait. Pas désagréable, l'homme d'affaires, après tout, pensait-il. Coriace, retors, buté, mais, finalement, pas désagréable. Pas une gueule d'escroc non plus. Pas le genre qu'on imagine aisément frauder, tromper, commettre des bassesses pour se tirer d'affaire. Alors que pouvait-il bien cacher? Probable qu'il détestait être ainsi obligé de s'expliquer et devoir mentir, aussi bien qu'il le fît. Ça ne cadrait pas avec le personnage. Mais pourquoi mentait-il? Qui voulait-il protéger?

Son histoire de Polonais, c'était de la très haute voltige, totalement improbable. Aucun doute possible, le ravisseur était un Québécois. Le policier avait trop écouté l'enregistrement téléphonique du bonhomme pour ne pas être catégorique là-dessus! Ce personnage-là, du reste, le fascinait depuis le tout début de son enquête. Il avait fini par en avoir une assez bonne idée. Il ne pouvait l'imaginer autrement qu'en homme du peuple. Ce devait être un dur et pourtant pas un repris de justice, on l'aurait identifié depuis longtemps s'il était connu du milieu ou s'il avait déjà fait de la prison. C'était, il n'en doutait pas, un solitaire, un vrai, qui avait imaginé et réalisé son coup seul. Aurait-il eu un complice qu'à un moment ou à un autre quelque chose aurait foiré, un détail les aurait trahis. Non, fallait qu'il soit seul. Maintenant, bien sûr, cette hypothèse que Fragon soit de connivence venait modifier sensiblement la donne. Toutefois, Marcoux ne pouvait se résoudre à admettre une telle idée. Il n'y croyait résolument pas, et plus Fragon tentait de le convaincre, plus il décrochait, sans véritable raison, instinctivement. L'inspecteur, des mois et des mois après le rapt, n'avait jamais cessé de se demander qui pouvait être ce maudit grand escogriffe de ravisseur. Fragon se leurrait s'il s'imaginait qu'il s'en tirerait sans satisfaire cette curiosité.

Au demeurant, pensa-t-il, le Fragon ne manquait pas d'imagination et de logique dans ses mensonges. C'était pas si mal trouvé de sa part, en fin de compte, cette histoire de Polonais. Ça permettait de fort bien expliquer qu'en dépit des recherches et des promesses de récompense on n'ait jamais pu identifier l'homme au fusil. Un bon menteur, à la réflexion, que ce Fragon qui, justement, commençait à manifester des signes d'impatience, se levait, marchait de long en large dans la pièce, sous son œil en coin de flic. Finalement, l'homme d'affaires s'arrêta devant le bureau, l'air embêté, pour une fois mal à l'aise, décidément plutôt sympathique. L'inspecteur, l'air toujours aimable, ne dit rien et le laissa venir...

— Entre vous et moi, inspecteur, que vous me croyiez ou non, je veux dire que la police me croie ou non, est-ce absolument nécessaire?

— Entre vous et moi? Je ne suis pas sûr de bien vous comprendre. «Absolument nécessaire?» Ben oui, quand même un peu... Il faudra bien un jour, d'une façon ou d'une autre, mettre un point final à ce dossier et, comme responsable de l'enquête, il faudra bien que je cautionne quelque chose qui ait une solide apparence de véracité. Et je suis au regret de vous dire qu'à la façon dont vous me racontez les choses, ce n'est, pour le moment à tout le moins, pas le cas ici.

— Je me suis mal fait comprendre. Ce que je voulais vous demander, et voyez, je suis très franc, c'est dans quelle mesure je suis tenu de vous dire toute la vérité? Après tout, je peux très bien avoir vécu dans cette histoire des choses fort personnelles et par ailleurs parfaitement légales que je ne souhaite absolument pas conter à la police. Ne puis-je arguer que tout cela concerne strictement ma vie privée?

— En théorie, je pense que vous avez raison. Mais, je vous l'ai dit, vous êtes aujourd'hui, que vous le sachiez ou non, une vedette nationale. Vous ne l'avez certainement pas souhaité, je l'admets volontiers, mais c'est un fait incontournable. L'opinion publique a tellement été informée de votre histoire, elle s'est tellement intéressée à vous, qu'elle voudra savoir le fin mot de tout cela. C'est logique et inévitable. Votre histoire ne vous appartient pas comme elle appartiendrait à un quelconque quidam. C'est un marché, l'information, un marché où vous êtes devenu un produit en grande demande, monsieur Fragon. Vous ne vous en tirerez pas facilement.

— Je saurai me débrouiller, payer pour me protéger... J'ai toujours su... Mais, en ce qui concerne la police?

— Je vous écoute...

— C'est délicat comme question, mais dans quelle mesure la police peut-elle continuer une enquête sur l'enlèvement dont je parais avoir été la victime, si moi, le présumé otage, je signe tous les aveux que l'on me demande et souhaite l'arrêt de toute autre procédure? Vous ne pouvez pas me faire justice contre ma volonté, tout de même.

— En un mot, vous me demandez si je pense qu'on vous obligera à nous dire la vérité sur ce qui vous est réellement arrivé avec ce rapt?

— Disons-le comme cela, si vous voulez. Votre opinion?

— À la réflexion, et à mon tour d'être bien franc, je crois que vous devriez pouvoir vous en tirer. On ne vous croira peut-être pas vraiment, mais vous vous en tirerez. Analysons tout cela froidement, voulez-vous. Je comprends qu'il n'est pas dans votre intention de porter plainte, n'est-ce pas?

— Absolument pas!

— Bon, pas de plainte, pas de victime, pas de victime, pas de crime, pas de crime, pas de police. Certes, le raisonnement est un peu simpliste, mais bien défendu par de bons avocats, et je ne doute pas que vous trouviez d'excellents avocats pour vous protéger, ça devrait pouvoir passer. On peut prévoir, bien sûr, quelques menues poursuites pour entrave au cours de la justice ou quelques brouilles du genre, mais vos avocats devraient, là encore, pouvoir facilement aplanir tout cela. La proposition de dédommagements pour les frais occasionnés par les recherches que vous évoquiez tout à l'heure devrait faire à cet effet très bonne impression auprès de l'autorité policière...

— Eh bien, sachez que je suis fort sensible à la qualité de votre opinion. Voilà, monsieur l'inspecteur! Telle sera ma ligne de défense: mes aveux d'avoir organisé moi-même ce simulacre d'enlèvement et le droit, quant au reste, à la protection de ma vie privée. J'en parlerai dès demain à mes avocats qui feront le nécessaire. Je tiens à vous remercier de votre compréhension.

— Tut, tut, tut...

— Est-ce que je me trompe, mais je crois que nous nous sommes tout dit pour aujourd'hui! Ma foi, me reste à vous saluer...

— Hélas, non, monsieur Fragon, nous ne nous sommes pas tout dit!

— Plaît-il?

— J'ai la faiblesse de ne pas tolérer que vous me mentiez! Vous m'êtes à vrai dire sympathique, monsieur Fragon. Vous être désagréable me répugne au plus haut point. Mais vous ne me laissez pas le choix. Vous comprenez, j'ai tellement travaillé sur votre affaire, tellement investi de temps et de recherche dans ce dossier, qu'il me semble... légitime, oui c'est le mot, légitime, que je sache ce qui vous est réellement arrivé, la vraie histoire, s'entend! Effectivement, je crois que, légèrement améliorée, la version que vous venez de me donner de votre enlèvement pourrait être, somme toute, plausible, disons acceptable. Je pense que mes collègues et mes supérieurs moins au fait du dossier, la presse, le grand public en général, pourraient n'y voir que du feu. Mais pas moi, monsieur Fragon, soyez-en persuadé, pas moi!

— Ce que vous pouvez bien penser m'est complètement indifférent! Il se peut que je vous intéresse, mais, croyez-moi, ce n'est pas réciproque! Je vous ai dit que j'étais désolé d'avoir été la cause de ce travail inutile que vous avez dû faire. Ça s'arrête là. Je ne passerai pas ma vie à vous prier de m'excuser pour ça. Vous me cherchiez en cadavre, je suis en pleine forme! Navré! Mais ça, hein, c'est votre boulot, non? Vous êtes payé pour les faire, vos putains d'enquête, non! Ah! mais oui, au fait... c'est ça, hein... O.K., si c'est à l'argent que vous pensez, je suis prêt à vous dédommager personnellement, et vous oubliez que vous m'avez vu ce soir... Ne souriez pas, je suis très sérieux!

— Voyez-vous ça!

— Votre prix?

— Tst, tst, tst... Soyez raisonnable, monsieur Fragon! Tentative de corruption de policier...

— Vous ne seriez pas le premier flic, syndicaliste ou politicien que j'achète.

— C'est non, monsieur Fragon, un non définitif. Je ne veux que la vérité, c'est tout. Et je l'aurai, croyez-moi, je l'aurai. Vous dissimulez quelque chose et je veux savoir quoi. Quelqu'un vous tient et je veux savoir qui.

— C'est assez! Sortez!

— Vous vous apprêtez à quitter immédiatement Montréal, n'est-ce pas? Dès que je serai sorti d'ici, vous fuirez. C'est ça? C'est pour cela que Gladu vous attend à côté, pour prendre vos instructions et pour vous aider à disparaître de nouveau et cette fois-ci définitivement. Est-ce que je me trompe?

Fragon faisait face, livide, menaçant. L'inspecteur se leva lui aussi. Il n'était pas très grand, le minimum requis pour entrer dans la police, pas très costaud non plus, atypique en cela parmi le lot de ses confrères aux larges épaules et au bedon prospère. Il ne faisait certes pas le poids face à l'autre en colère, mais il lui parla d'une voix tranquille sur un ton brusquement froid et cinglant. Et Fragon, en homme habitué à jauger les autres, comprit qu'il ne s'en tirerait pas facilement.

— Vous oubliez, monsieur Fragon, vous oubliez que je suis celui qui va faire échouer tous vos plans! À peine sorti de chez vous, je lance l'alerte à la radio de ma voiture. Je ne suis pas un débutant, monsieur Fragon: rien ni personne ne quittera cette maison sans que je le voie et que je m'y oppose! En quelques minutes, le quartier est grouillant de flics et de journalistes. Pour votre bien, on vous emmène au poste sous les flashes de la presse. Bien sûr, vos avocats vous sortiront vite de là, mais quel tintamarre dans les journaux de demain!

— C'est du chantage. Que voulez-vous?

— La vérité, je vous l'ai dit. Rien d'autre! Et maintenant, deux dernières choses, puis je vous écoute. Je suis, n'en doutez pas, absolument incorruptible et je suis armé. Cela dit pour le cas bien improbable où il vous viendrait en tête l'idée de commettre quelque bêtise. Voilà, c'est à vous...

— Je suis coincé, c'est ça?

Un large sourire éclairant soudain de nouveau son visage, l'inspecteur se rassit, heureux de son effet. Il tenait Fragon. Un peu arrogant, il ne put s'empêcher de répondre à la question de l'autre.

— Je crois bien que oui, dit-il, suave, prenez votre temps, mon cher, quant à moi, je vous l'ai dit, j'ai toute la nuit...

Fragon était perplexe. Il n'avait pas imaginé être si rapidement coincé. Au cours du voyage de retour à Montréal, il avait longuement imaginé cette scène où il aurait pour la première fois à donner sa version des faits. Il ne pensait pas qu'il lui serait aussi difficile de mentir, puisqu'en affaires à tout le moins, c'était là un art qu'il pratiquait assez bien. Il avait jugé qu'en s'attribuant l'entière responsabilité des incidents, il tuerait dans l'œuf toutes les autres hypothèses. Il s'en voulait de s'être trompé. Comment l'autre avait-il pu voir clair aussi vite dans son jeu? C'est cette histoire d'expansion à Vancouver qui l'avait calé. Il l'avait complètement oubliée, celle-là! Que tout cela lui paraissait lointain aujourd'hui. Comment expliquer tout le chemin parcouru à cet emmerdeur de flic, ce Marcoux, là devant lui, parfaitement détendu, serein, un vrai chat, et lui, comme un mulot entre ses griffes... Il n'avait pas l'habitude d'être ainsi pris de court. Il n'aimait pas les situations où il n'était pas le gagnant. En fait, songea-t-il, depuis cette histoire, tout cela était un peu moins vrai, il n'était plus tout à fait le même, se sentait moins arrogant, moins dominateur. Comment lui faire comprendre ça, à ce Marcoux?

Drôle de flic, pensa-t-il, à l'évidence pas con, incorruptible à ses dires. Ça, lui, Fragon, y croyait plus ou moins. Il en avait acheté tellement de ses vis-à-vis en affaires ou de ceux qui, d'une façon ou d'une autre, pouvaient lui compliquer ou lui faciliter la vie. Comment croire que juste aujourd'hui celui-là lui résisterait? Par où le prendre? Il comprit, à l'assurance tranquille de l'inspecteur qui ne cessait de le regarder l'air vaguement narquois, que ces pensées ne le mèneraient nulle part. Alors quoi, tout lui dire? Où étaient les risques? Il détestait être ainsi: obligé d'improviser. Et puis, par où commencer?

Le silence s'éternisait, ce qui ne semblait pas ennuyer Marcoux qui, c'est vrai, avait dit avoir toute la nuit devant lui...

D'un coup, Fragon se décida, à sa manière, impulsive et brutale... Tant pis s'il devait regretter.

— D'accord! L'enlèvement était tout ce qu'il y a d'authentique. Je ne connaissais pas le ravisseur. Il ne m'a pas donné le choix. Je suis sorti du conseil vert de trouille, le fusil dans les reins. On a pris l'ascenseur qui conduit directement à mon garage au sous-sol. Je me suis installé au volant, lui derrière moi, le bout du fusil dans mon siège entre mes omoplates, et on est partis sans traîner. Je n'en menais pas large, je vous prie de le croire! On a changé de voiture à quelques coins de rues de là, dans une arrière-cour déserte...

— Je sais, on a retrouvé votre auto.

— Il m'a fait monter dans le coffre de l'autre et on est partis immédiatement. Tout cela est allé très vite. Il a roulé environ vingt minutes et il s'est arrêté un petit moment.

— Pour téléphoner. L'important pour lui était de quitter l'île de Montréal avant qu'on mette en place des barrages de police sur les ponts. Arrivé à Longueuil, il a aussitôt enregistré ce message téléphonique sur votre boîte vocale, tandis qu'il était encore en zone urbaine, pour éviter qu'en retraçant l'origine de l'appel on découvre la direction qu'il prendrait par la suite. Ce que vous me dites correspond tout à fait à ce que nous avions reconstitué. C'est par la suite que nous avons complètement perdu votre trace.

— Après ça, eh bien, nous avons roulé. Là, je voyais bien qu'on s'éloignait. L'axe semblait toujours le même. Ça a duré toute la nuit et presque toute la journée du lendemain. Il me libérait de temps à autre, dans des endroits isolés, pour que je puisse pisser et me dégourdir les jambes. J'ai déjà connu des voyages plus agréables. Quand ça a pris fin et que je suis sorti pour de bon du maudit coffre, nous étions sur un petit chemin au bord de la route, en pleine forêt. Le soir tombait. Il neigeait. J'avais faim et très froid. Il y avait là une minuscule cabane en bois rond, sans fenêtre. Il m'a dit d'y entrer et de l'attendre. Il m'a enfermé et il est parti. Aucune possibilité de sortir. J'ai passé la nuit là. Il avait laissé des couvertures, de quoi me laver et manger. Surtout, j'ai trouvé un stock complet de vêtements d'hiver très chauds, tout neufs, à ma taille. Je les ai passés et j'ai attendu.

— Où pouvait-il bien vous avoir emmené? Le savez-vous?

— À ce moment, non, bien sûr, aujourd'hui, oui. J'étais sur la nouvelle route entre Havre-Saint-Pierre et Natashquan.

— Sur la Côte-Nord?

— C'est bien ça. Là où s'arrête, au nord-est, le réseau routier québécois.

— Comment cela?

— La route ne va pas plus loin. Après, c'est le bois. Pour aller plus à l'est vers Terre-Neuve ou le Labrador, il faut prendre le bateau.

— Pas bête. Comment vouliez-vous qu'on aille vous rechercher dans un coin comme ça? Continuez, je vous prie.

— J'étais fatigué. Je me suis endormi. Au lever du jour, je l'ai entendu revenir, en motoneige, cette fois. Il m'a libéré et nous sommes allés chercher une autre motoneige qu'il avait soigneusement cachée tout près dans le bois. Il a brûlé mes vêtements de ville, a rapidement détruit la cabane et a effacé toute trace de notre passage.

— Bien pensé, tout ça.

— Il a enfourché sa motoneige et m'a dit de les suivre sur la seconde machine.

— Vous saviez conduire de tels engins?

— Non, mais c'est assez facile. Il a eu vite fait de m'expliquer.

— Attendez... Vous avez dit «les» suivre. L'homme n'était donc pas tout seul?...

— Non, enfin si. Oh, c'est une chose sans importance.

— Dites, il faut tout me dire!

Fragon se mordit les lèvres. Il en avait trop dit. Il pensa qu'il aurait sans doute été préférable de cacher le détail au policier. Car c'était exactement le genre de chose que lui, Fragon, ne voulait pas voir à pleines pages dans les journaux. Mais comment reculer? Il ne savait décidément pas s'y prendre avec ce Marcoux. C'est de mauvaise grâce qu'il répondit.

— O.K., il n'était pas seul quand il est revenu.

— Comment cela pas seul?

— Un enfant était avec lui...

— Qu'est-ce que c'est que cette histoire-là?... Allons, bon. Eh bien, poursuivez...

Le policier avait fort bien perçu la réticence de Fragon à parler de l'enfant. Il jugea plus adroit de faire comme si le détail lui importait peu, mais se promit d'y revenir. Manifestement, cette histoire ne ressemblait à rien de ce qu'il avait connu jusqu'alors.

— Je les ai donc suivis. Les paysages défilaient. Moi, les yeux fixés sur leur motoneige en avant, attentif à mon engin, cerveau complètement lavé, je concentrais toutes mes énergies à ne pas me laisser distancer. Chaque soir, comme par miracle, on arrivait à un abri où l'on trouvait de la nourriture et de l'essence pour nos machines et où l'on dormait. On ne se parlait pas, pas un mot. Moi, je m'écroulais à chaque fois de fatigue.

— Vous n'avez pas essayé de lui échapper?

— Comment aurais-je pu? Je n'avais aucune idée alors de l'endroit où nous pouvions être. Au contraire, j'avais la hantise de les perdre de vue et de me retrouver seul, certain qu'alors je ne parviendrais jamais à revenir. Il le savait, du reste. Il ne me surveillait même pas. Au matin, il effaçait toute trace de notre passage. Et nous repartions. La neige tombait fréquemment, recouvrant l'empreinte des chenilles de nos motoneiges... J'étais bien conscient de ce que personne, dans ces conditions, ne pourrait jamais suivre notre piste.

— Remarquable! Du travail pensé de longue date, préparé minutieusement. J'aime ça!

— On a voyagé comme ça pendant une bonne dizaine de jours sans croiser personne. J'imagine qu'on a dû faire quelques centaines de kilomètres. Un jour, on est arrivés à un camp pas mal plus grand que tout ce que nous avions eu jusque-là. Le site était magnifique, au bord d'une courbe d'une rivière. J'ai compris qu'on était arrivés. Curieux, parvenu là, son attitude a immédiatement changé du tout au tout. C'est comme si d'un coup il était chez lui et avait plaisir à me recevoir. Il m'a fait faire le tour du propriétaire et m'a offert fort civilement la meilleure chambre.

— Lui avez-vous demandé ce qu'il comptait faire de vous?

— Quelque chose comme ça, oui. Il m'a répondu d'être patient, de ne plus avoir peur, qu'il ne me voulait aucun mal et de laisser faire le temps. Rien d'autre.

— Bizarre... Vous ne saviez toujours pas précisément où vous vous trouviez?

— À ce moment-là, non, je n'en avais aucune idée. Je sais aujourd'hui qu'on avait quitté la côte plein nord, ce qui fait qu'on était quelque part dans la toundra, passé la frontière du Labrador. Il m'a dit que la rivière qui passait devant le camp s'appelait l'Atikonak.

— Admirable! Vous étiez donc prisonnier sans barreaux?

— Si vous voulez...

— Comment réagissiez-vous? Aviez-vous peur?

— Eh bien, c'est curieux. Au tout début, là je vous parle des moments où j'étais dans le coffre de l'auto et puis de cette première nuit dans la cabane de Havre-Saint-Pierre, j'avais effectivement peur, mais surtout j'étais fou de rage à l'idée de cette affaire que je ratais avec la Colombie-Britannique. Cette rage devait disparaître très rapidement, en fait dès qu'on est partis en moto-neige. Là, je n'ai plus pensé qu'à le suivre, lui, avec la crainte constante de rester seul perdu dans le bois. Quant à la peur, j'entends pour ma vie, non! Les premières heures passées, je n'ai jamais plus été inquiet. Dès qu'on a été dans le bois, et même si je ne comprenais pas très bien ce qui se passait, j'ai su que je ne craignais rien. En fait, plus jamais je ne devais me sentir, de quelque façon que ce soit, menacé. Au-delà de cela, à l'inverse de cela, devrais-je dire, dans les conditions tout de même précaires qui étaient les nôtres, j'ai vite, c'est drôle à dire, j'ai vite fait entière confiance à cet homme. À un point, du reste, tout à fait inhabituel chez moi, et chose tout de même assez saugrenue dans les circonstances.

Il rit, surpris de constater à quel point, en fin de compte, il trouvait plaisir à conter cette histoire, fût-ce à un flic. Marcoux devant lui paraissait fasciné, l'écoutait de toute son attention, tous les neurones manifestement mobilisés. D'un coup, le policier lui parut un peu moins antipathique. Il lui offrit à boire. L'autre ne refusa pas. Les deux se retrouvèrent à siroter leur whisky soda comme deux vieilles connaissances.

— Vous étiez bien installé?

— Pas si mal. C'est lui qui avait bâti cette cabane près de l'Atikonak. Rien n'y manquait. Elle était bien équipée, bien chauffée, je dirais même agréable à vivre. Il y avait là toute la nourriture nécessaire, oh, rien de raffiné mais enfin l'essentiel y était avec, en prime quotidienne, ce qu'il pouvait rapporter de frais de ses cueillettes, de la chasse ou de la pêche...

— Quand vous a-t-il dit ce qu'il comptait faire de vous?

— Il ne m'en a jamais parlé.

— Comment cela?

— Je ne l'ai plus jamais questionné là-dessus. À quoi bon! Au début, je croyais qu'il avait dans la tête de laisser passer du temps, d'attendre un relâchement de la surveillance pour entrer en contact avec mes proches et réussir un bon coup d'argent. Or plus je le côtoyais, moins je me l'imaginais faisant cela. À vrai dire, cet aspect des choses ne m'a jamais préoccupé...

— Cette patience est pourtant tout à fait remarquable, géniale même! À ma connaissance, peu de ravisseurs ont jamais fait cela. Ils n'en prennent pas le temps, veulent tout de suite l'argent et se font prendre bêtement, comme des minables qu'ils sont le plus souvent. Mais attendre! oui, l'idée est géniale! On procède à un enlèvement bien spectaculaire, comme le vôtre, on crée un suspense médiatique intense, on isole la victime et on attend! Six mois, un an plus tard, quand forcément la police a relâché sa surveillance, on contacte sans risque les proches avec les preuves irréfutables que le captif est toujours vivant. Là, mon ami, ça doit négocier, et vite! Plus question de mettre la police dans le coup, la famille soulagée, incrédule, ne croyant pas son bonheur, doit vous donner tout de go tout ce que vous lui demandez. Et tranquillement, sans danger, le ravisseur s'enrichit et prend tout son temps pour disparaître. Un jour, comme par hasard, la victime réapparaît dans le décor, comme vous, monsieur Fragon, et la police n'y a vu et n'y voit que du feu. La difficulté, évidemment, c'est de parvenir à garder le captif dans le secret le plus absolu et, surtout, de le garder... vivant! C'est là le hic! Tout de même, cette idée du bonhomme de vous isoler avec lui dans le Nord tient du génie!

— Je vous écoute, mais je ne suis vraiment pas sûr qu'il ait nourri des desseins du genre...

— Vous aurez de la difficulté à m'en convaincre! Continuez, s'il vous plaît, êtes-vous resté dans cette maison de l'Atikonak jusqu'à maintenant?

144

— Oui! J'ai vu les quatre saisons du Nord, ou plutôt l'hiver et l'été du Labrador. Monsieur l'inspecteur, je ne sais trop comment vous faire comprendre cela: ce fut pour moi une année magnifique!

— Allons bon! Et il est toujours resté avec vous?

— Toujours.

— Oui, une année magnifique! reprit Fragon après un silence. Et ce qui est le plus bizarre là-dedans, c'est que moi qui ai toujours été une espèce d'hyperactif compulsif à la tête de mes affaires, je ne me suis pas ennuyé une seule minute à ne rien faire dans le Nord pendant tout ce temps! Faut dire que...

— Faut dire?

Fragon se tut, embarrassé, le regard fuyant, soudainement vulnérable. Pour se donner une contenance, il remplit les verres qui n'étaient pourtant pas vides. D'instinct, le policier sentit qu'on arrivait au cœur de l'affaire. Bien sûr, il n'avait pas oublié cette mention de l'enfant qui avait échappé à Fragon. L'autre ne disait plus rien. Il décida de l'aider un peu.

— Au fait, vous ne m'avez pas parlé de ce garçon qui accompagnait votre homme, lança-t-il d'un ton enjoué.

Fragon hocha longuement la tête, songeur. Il finit par lâcher:

— Ce n'était pas un garçon, mais une fille.

— Dites-m'en un peu plus, son âge?

— Huit ans.

— Qui était-elle?

— Sa petite-fille à lui.

— Allons bon. Que faisait-elle avec vous?

Fragon ne répondait pas. L'inspecteur ne comprenait plus. Il fallait qu'il sache et, en même temps, il sentait qu'il touchait à quelque chose de très sensible chez l'homme d'affaires, quelque chose d'intime et de fragile qu'il n'avait pas envie de brusquer. C'est de sa voix la plus chaude qu'il insista:

— Au point où vous en êtes, monsieur Fragon, j'ai besoin de tout savoir. Il le faut, si vous voulez que je vous aide.

Et Fragon finit par laisser tomber son armure.

— Oui, c'est ça, il y avait cette fillette, et je m'en suis beaucoup occupé pendant toute cette année. C'est essentiellement grâce à elle si je n'ai pas vu le temps passer. Elle avait besoin de beaucoup d'attention.

— C'était donc la petite-fille de votre ravisseur?

— Oui. Elle n'avait que lui, m'avait-il expliqué. Ses parents étaient décédés deux années plus tôt dans un accident de voiture. Je ne m'en suis pas rendu compte tout de suite durant le voyage, mais elle était aveugle...

— Aveugle?

— Oui, elle a de beaux yeux très clairs, mais elle ne voit pas.

Fragon se tut un moment, comme s'il jugeait en avoir assez dit. Le policier respecta ce silence et entreprit d'imaginer un fil conducteur entre les divers éléments du puzzle qu'il possédait désormais. Quelque chose lui échappait encore qui puisse donner un sens à toute l'histoire dont, il le sentait confusément, cette petite aveugle était la clé. Un long moment, les deux hommes restèrent ainsi à réfléchir, chacun de son côté. Puis Fragon, calmement, sans y être pressé, poursuivit son récit.

— Il n'en est qu'une comme elle! Moi qui n'ai jamais eu d'enfant, j'ai été complètement envoûté par cette gamine. Vous ne pouvez pas vous imaginer le charme, la vivacité, le magnétisme de cette petite fille. Une fois installés au camp, on s'est tout de suite apprivoisés elle et moi. Vous savez, j'étais finalement bien plus prisonnier de ses éclats de rire, de ses bouderies ou de ses mouvements affectueux que du désert où m'avait conduit son grand-père. Aurais-je pu effectivement partir que je serais resté... pour elle. J'ai connu d'autres enfants, mais je n'ai jamais autant senti vibrer chez moi la fibre paternelle qu'avec elle. Est-ce son handi-cap, je ne sais, mais tout en elle m'attendrissait, je me faisais avoir à tous ses trucs, ses chagrins d'enfant me bouleversaient...

Dans la maison, aux abords immédiats du camp, vous auriez juré qu'elle y voyait tant elle était habile, dégourdie, à l'aise. Mais dès qu'on s'éloignait un peu, qu'on marchait dans le bois, qu'on montait dans un canot, que sais-je moi, il fallait qu'elle tienne la main de quelqu'un, elle avait besoin de quelqu'un pour l'aider à trouver son pas et à éviter les obstacles... Je n'oublierai jamais la première fois qu'elle a pris ma main, la façon dont elle l'a fait, un mélange naturel de drôlerie, de hardiesse et de confiance. J'ai craqué. Ma grosse patte, elle l'a tenue quasiment toute l'année. Et moi, si insensible aux autres durant toute ma vie, je devins, le croirez-vous? les yeux de cette petite aveugle et jamais, de toute mon existence, jamais je ne me suis senti aussi utile, fier de moi et heureux aussi. Je ne crois pas que je puisse bien vous expliquer tout cela!

— Mais si, je vous en prie, continuez.

— Tous les jours pour elle j'inventais des histoires, je lui expliquais les choses, lui décrivais ce qu'elle ne pouvait voir: la nature, la rivière, les animaux, les étoiles. Je lui ai appris des chansons de ma jeunesse en polonais. Elle m'en a enseigné d'au-tres qu'elle tenait de sa mère. Elle avait un beau petit brin de voix très juste, une oreille remarquable et une excellente mémoire... Je lui ai même appris à écrire. C'est fort, hein, pour une enfant aveugle! C'est qu'elle est capable d'une concentration vraiment exceptionnelle. Son intelligence est très vive, vous savez... Je dois vous paraître d'une sensibilité excessive, n'est-ce pas?

— Vous en parlez avec beaucoup de chaleur. Elle vous ren-dait cette affection?

— Avec une spontanéité, une fraîcheur qui m'émouvaient à la moindre bise... C'est un âge où l'on s'attache facilement, vous savez. Je parle d'elle, là. Son grand-père mis à part, elle n'avait que moi. Comme de mon côté j'avais toutes mes journées à lui consacrer, il était assez normal qu'elle s'accommode du seul compagnon qu'elle avait pour lui tenir la main. Elle n'avait guère le choix, la vie lui imposait une espèce de père, ma foi, il fallait bien qu'elle s'en contente. Mais je crois que, pour elle aussi, c'est allé plus loin. Cette enfant est d'une nature tellement généreuse, elle a des façons à elle, tellement vraies, subtiles et charmantes, de montrer sa reconnaissance et de faire savoir qu'elle aime, que oui, je peux dire qu'elle me la rendait bien mon affection... J'ai été payé au centuple.

— Et lui, que pensait-il de ces liens qui se tissaient entre elle et vous?

— Au début, il m'étonnait bien un peu à cet égard. Il était curieusement absent, comme indifférent. Il faisait comme si tout cela ne le concernait pas... Faut dire qu'il nous quittait souvent dans la journée pour couper du bois, poser des collets, relever ses pièges, pêcher. Parfois, il partait même plusieurs jours pour chasser le caribou ou trapper des animaux à fourrure. Il n'était guère bavard, vous savez. Ce n'était pas l'homme à montrer ses sentiments. Avec elle, en tout cas, il n'était vraiment pas du genre grand-père gâteau. Du reste, je me suis longtemps demandé si, pour une raison qui m'échappait alors, il n'était pas plus rude avec elle du fait de ma présence. Je dis cela parce que, plusieurs fois, j'avais cru me rendre compte qu'elle s'étonnait un peu et souffrait peut-être de la froideur qu'il lui manifestait fréquemment. Je ne prétends pas être fin psychologue, mais il me semblait que la gamine réagissait comme si elle était habituée à recevoir plus d'affection de sa part dans le passé. Elle était très discrète et délicate dans l'expression de ses sentiments pour lui, ne montrait pas sa peine, mais plus je la connaissais et plus il m'apparaissait qu'elle souffrait de cette sécheresse de sentiments de son grand-père. Elle reportait alors son besoin d'affection sur moi, ce dont je ne me plaignais certainement pas. Bon, écoutez, cela dit, hein, je peux me tromper. Vous savez, lorsqu'on vit longtemps dans ces conditions d'isolement et d'inactivité, les moindres détails de la vie quotidienne prennent tant d'importance...

— C'est bizarre tout de même cette attitude du grand-père... Enfin, ça ne cadre pas. À moins d'imaginer qu'il n'ait vraiment pas eu d'autres choix, il fallait qu'il y tienne drôlement à sa petite-fille pour prendre la peine de l'emmener avec vous dans une telle expédition.

— Aujourd'hui, je crois que je le comprends mieux... oh, oui qu'il y tenait! Je me souviens, un soir du printemps dernier. La gamine était malade, un chaud et froid qui lui avait donné une assez forte fièvre. Nous étions là tous les deux, lui et moi, auprès du lit à nous occuper d'elle. Pour la première fois depuis mon enlèvement, la seule fois du reste, j'ai été pris d'une colère terrible. Je suis sûr que les gens de mon entourage que vous avez interrogés vous ont parlé de mes colères. Quand ça me prend, ça me submerge. Je ne suis plus maître de moi. Je fais peur et n'y peux rien. Là, j'en voulais au bonhomme, je lui en voulais d'un coup à mort parce que j'étais inquiet pour sa petite-fille. Il y avait bien quelques médicaments dans la trousse d'urgence du camp, mais il n'avait pas apporté d'antibiotique susceptible de faire baisser d'un coup la fièvre de la gamine. J'avais réellement peur. Vous auriez dû entendre tout ce que je lui ai passé comme sermon et injures dans le noir. Je lui reprochais non pas de m'avoir enlevé moi et de me séquestrer dans le Nord, mais bien de l'avoir emmenée, elle. Le monde à l'envers, quoi! Et puis, subitement, je me suis arrêté de gueuler, tout bête. Dans un reflet de bougie, j'ai vu un instant son visage. Le grand trappeur ne m'écoutait pas. Il regardait intensément sa petite-fille, le visage ravagé... et il pleurait. C'est de ce jour-là que, de façon plus ou moins confuse, j'ai commencé à comprendre le sens de mon enlèvement. Bien sûr qu'il y tenait, bien sûr. Il fallait même qu'il y tienne joliment pour avoir imaginé tout ça...

— Et vous n'avez jamais cherché à vous évader?

— Non, jamais. J'aurais pu, pourtant. Une fois, des Inuits sont passés...

— Ah oui! Et vous auriez pu partir avec eux?

— Probablement... Ou, du moins, leur faire savoir qui j'étais et leur demander de m'aider. Je ne l'ai pas fait. C'était un groupe de trois chasseurs. On les a fait entrer. Ils ont mangé. Ils ne parlaient qu'anglais et il m'a bien semblé que le bonhomme ne comprenait pas un traître mot de ce qu'ils racontaient. C'est moi, tout au long de leur visite, qui leur ai fait la conversation. J'avais gardé mon bonnet enfoncé jusqu'aux yeux. Avec la barbe que je m'étais laissé pousser, il y avait bien peu de chance qu'ils me reconnaissent, au cas fort improbable où ils auraient vu ma photo dans les journaux. Je leur ai raconté que j'étais un professeur en année sabbatique et que l'enfant était ma fille. Ça leur a amplement suffi. Ils sont partis et on n'a plus jamais entendu parler d'eux. Le lendemain, la gamine voulait que je lui apprenne à parler anglais... et on s'y est mis.

— Et le vieux pendant la visite n'a pas craint que vous tentiez quelque chose pour lui échapper ?

— Pendant comme après, il est resté le même : il n'a rien dit, visage de bois...

— À la limite, on pourrait donc prétendre que vous restiez avec lui de votre plein gré ?

— Ça peut paraître étonnant, mais on pourrait dire ça, oui.

— Il vous parlait souvent ?

— Pour la vie de tous les jours, un peu, le minimum, mais pour le reste, sa vie d'avant à lui, la mienne, le rapt, ce qu'il avait dans l'idée pour nous trois, jamais... Mais je crois qu'il y avait de la compréhension entre nous, des choses qu'on sentait en même temps sans avoir besoin de se les dire, du respect, de l'estime peut-être...

— Vous en parlez comme si vous ne lui en vouliez pas aujourd'hui...

— Mais c'est ça, inspecteur, je ne lui en veux absolument pas.

— Ouais, vous faites une drôle de victime! Et la fin de tout cela?

— Il a attendu les grandes tempêtes de neige de l'automne. Quand il a jugé que la couche était assez formée, il a fermé le camp et nous nous sommes remis en route, plein sud.

— Mais pour l'argent, la rançon... quel était votre arrangement?

— Je vous l'ai dit, il n'a jamais été question de rançon.

— Je ne vous crois pas. Pour des raisons qui vous appartiennent, vous voulez protéger cet homme, c'est clair, mais sans rançon cette histoire ne tient pas debout. On n'enlève pas les gens pour rien, tout de même! C'est bon, continuez, mais je saurai!

— On est donc retournés l'un derrière l'autre en moto-neige, lui transportant l'essence et notre équipement de bivouac pour les soirs, moi avec la petite accrochée dans mon dos. Une dizaine de jours de voyage et nous sommes revenus à notre point de départ, sur ce bout de route de Havre-Saint-Pierre à Natashquan...

Fragon parut hésiter. À l'air qu'il prit avant d'enchaîner, l'inspecteur, qui commençait à bien sentir son homme, sut immédiatement qu'il allait mentir. Il l'écouta pourtant fort civilement.

— Il est parti au village voisin chercher une auto. Quand il est revenu, nous nous sommes quittés, sans grand discours. Il m'a simplement dit qu'il était désolé de s'en être pris à moi, qu'il avait eu au début l'idée de me demander de l'argent, mais qu'après ce que nous avions vécu ensemble il n'en avait plus le cœur. Je lui ai répondu que je ne lui en voulais pas, et c'était vrai. On ne savait plus quoi se dire. On s'est serré la main. On s'est souhaité bonne chance, et voilà... Je me suis retrouvé tout bête en route pour Montréal. C'était hier matin...

Le policier sourit.

— Belle histoire... belle histoire, vraiment... Puis-je vous demander ce que vous comptez faire maintenant?

— Vous avez deviné juste tout à l'heure. Je souhaite partir et, de loin, faire procéder à la liquidation de toutes mes affaires. Je vais me faire oublier, comptez sur moi. J'ai tellement travaillé jusqu'ici... Là, je vais profiter de la vie...

— Comptez-vous faire quelque chose pour cet homme?

— Vous me prenez de court... J'avoue que je n'y ai pas pensé.

— Pour faire ce qu'il a fait, fallait qu'il ait sans doute de gros problèmes d'argent. Si vraiment vous ne lui en voulez pas, pourquoi ne pas aller jusqu'à l'aider?

— Oui, vous avez peut-être raison, après tout. Je vais voir ce que je peux faire...

— Et... pour elle?

— Je n'ai rien prévu non plus. Je veux tourner la page.

— Vous voilà tout à coup bien insensible, monsieur Fragon!

— Ce que je voudrais surtout, c'est les éloigner tous les deux du scandale, faire en sorte qu'ils ne soient pas livrés à la presse... et pour cela, je n'ai pas le choix: il me faut absolument faire croire que j'ai moi-même monté toute cette affaire. Inspecteur, pour cela, j'ai besoin de votre aide!

— Voyez-vous ça! Si je comprends bien, vous me demandez de mentir. C'est grave, ça.

— Vous connaissez toute la vérité...

— Croyez-vous?

— Vous savez qu'il n'y a pas eu extorsion...

— C'est ce que vous dites et j'avoue que j'ai presque envie de vous croire, l'histoire serait tellement plus belle ainsi...

— Aidez-moi! Je vous en prie, aidez-moi!

— Je crois effectivement que je vais vous aider, monsieur Fragon. Oui, je vais le faire, et cela même si vous continuez pourtant à me mentir.

— Mais non...

— Mais si... un peu... ou disons que vous ne me dites pas tout. Je vous aiderai, oui... pour cette jeune personne. Au fait, vous ne m'avez pas dit son prénom.

— Marie.

— Elle est ici, n'est-ce pas?

Fragon hésita un moment avant de répondre:

— Oui, elle dort en haut.

— À la bonne heure! s'exclame le policier en soupirant bruyamment.

Il se leva d'un coup et arpenta plusieurs fois la pièce pour se dégourdir les jambes. Il dénoua sa cravate, tomba la veste qu'il lança sur un fauteuil. Il paraissait fort satisfait.

— Bon, jubila-t-il, comme ça, moi aussi j'ai ce qu'il faut pour commencer à comprendre. Là, je peux imaginer des réponses aux questions que je me posais depuis les tout débuts de cette drôle d'affaire. Bien sûr que ce bijou de petite fille sera bien mieux avec un riche citadin cultivé comme vous qu'avec un grand-père trappeur vieillissant dans un village isolé de la Côte-Nord... Pensez-vous que les médecins pourront faire quelque chose pour ses yeux?

— Je ne sais pas. J'espère. Dès que possible, nous irons voir les plus grands spécialistes. Je vais tout faire pour la faire soigner! Mais qu'elle recouvre la vue ou non, son grand-père n'a plus à s'en faire, elle sera heureuse...

— Cette enfant a de la chance...

— Vous comprenez, le vieux, lui, ne pouvait pas, n'aurait pas pu... Il faut que je vous demande, qu'en pensez-vous? Je ne peux m'empêcher de penser que, depuis le début, cet homme voulait que les choses se passent ainsi... Il se sentait vieillissant, sans grands moyens, avec cette enfant intelligente mais infirme et qui n'avait que lui...

— Vous persistez à me dire qu'il ne vous a jamais parlé de ses intentions, que vous n'avez pas conclu une espèce de marché, vous et lui?

— Non! Jamais! Il faut me croire, inspecteur.

— Ça va, je vous crois! Finalement, à vous entendre, s'agissait juste, pour lui, de s'assurer que des liens d'affection s'établissent entre sa petite-fille et vous...

— Je vous ai menti tout à l'heure quand je vous ai raconté nos adieux sur la route de la côte. Non, il ne m'a pas dit qu'il avait réfléchi et qu'il ne voulait plus d'argent. Il n'a rien eu à expliquer. En fait, tout a été très vite. On était tous les trois sur la route, la gamine, lui et moi, devant l'auto qu'il venait d'aller chercher. Il m'a donné les clés, a prononcé son nom, Marie, et la petite s'est jetée dans ses bras. Il l'a serrée longuement, l'a embrassée et tous trois on savait, sans s'en être jamais parlé, je vous le jure, qu'ils se faisaient leurs adieux, qu'elle s'en venait avec moi. Elle a pris ma main. Le vieux nous a regardés un moment, l'air grave, puis, très digne, il m'a salué de la tête et m'a juste dit: «Merci, Monsieur!» Il a enfourché sa motoneige et il est parti.

— Il vous a en quelque sorte «donné» cette enfant...

— C'est ce que j'ai compris. Non, jamais je ne lui enverrai d'argent. Il ne comprendrait pas. Bon Dieu, ce serait, je crois, la pire insulte à lui faire!

— Oui... peut-être qu'au fond il voulait ça depuis le début: vous voir vous entendre avec la petite pour vous la confier l'âme en paix... Je ne sais pas. Ou alors, excusez mon réflexe de flic, peut-être pensait-il au début à une rançon pour assurer l'avenir de l'enfant, puis, constatant votre amitié pour elle, il aura compris qu'il faisait mieux en vous la confiant tout simplement. Cela dit, pourquoi vous avoir choisi, vous, Fragon? D'où vous connaissait-il? Comment a-t-il bien pu pressentir que vous aviez les qualités humaines pour bien remplir ce rôle de père adoptif de sa petite-fille qu'il vous destinait? J'ai bien peur que nous ne le sachions jamais. Drôle de bonhomme, drôle d'histoire! Quand comptez-vous partir? enchaîna-t-il de but en blanc.

— Le plus tôt possible, avant le lever du jour, si ça peut s'arranger. Je vais donner des instructions à Claude...

— Ah! mais oui, au fait, ce bon monsieur Gladu! J'espère pour lui qu'il aura pu dormir en attendant...

— Alors, vous allez me laissez partir?

— Oui... Mais je crois que très prochainement je pourrai annoncer à mes supérieurs et à la presse que je vous ai retrouvé...

— Je ferai comme vous voulez. Comment souhaitez-vous que nous procédions?

— Je vais vous expliquer ça. Notre nuit de travail est loin d'être finie. Mais, en échange, vous allez m'accorder une faveur...

— Dites. Je ne peux rien vous refuser.

— Je vous l'ai dit, je suis affreusement sentimental. Quand elle se lèvera tout à l'heure, j'aimerais bien dire bonjour... à Marie.

★
★ ★

Il s'était levé à trois heures du matin. La journée serait longue. Le vieux trappeur avait dans l'idée de faire le voyage jusqu'à l'Atikonak en six jours. Il n'avait pas de temps à perdre. Il enfila son costume de motoneige, vérifia une dernière fois que tout était en ordre chez lui. Il prit son grand sac de cuir à l'épaule et jeta un dernier coup d'œil circulaire. Il allait quitter la petite maison face à la mer quand il se ravisa, revint dans sa chambre et décrocha du mur un petit cadre qu'il regarda longuement. Ce faisant, sans qu'il y prît garde, une page déchirée d'une revue coincée entre mur et cadre tomba sans bruit sur le lit. Sur un papier froissé d'avoir été trop lu, l'article était un long portrait complaisant d'un dénommé Roger Fragon, p.-d.g. d'une grosse entreprise montréalaise. Trois lignes perdues dans l'article y étaient soulignées au crayon bleu. Elles mentionnaient que le prospère homme d'affaires n'avait jamais pris le temps de se marier et d'élever une progéniture, qu'il le regrettait bien un peu et que, en conséquence, il n'excluait pas l'idée, le temps venu, de léguer une partie de sa fortune à un hôpital pour enfants.

Le vieux sortit du cadre la photo d'une fillette étonnamment jolie, aux yeux très clairs et au sourire un peu triste. Il la mit soigneusement dans un livre qu'il glissa dans une poche latérale de son sac.

L'instant d'après, il filait vers le nord.

Une rivière nommée McDonald

Écueil dramatique et désert au milieu du golfe du Saint-Laurent, l'île d'Anticosti est un brumeux cimetière. Corps déchiquetés de marins rejetés sur la grève par l'océan et hâtivement enfouis dans le sable, charniers oubliés de naufragés abandonnés de Dieu, colons aux efforts inutiles couchés sous des dalles bousculées par le gel: des vies se sont arrêtées là, dans la souffrance et l'isolement.

Les plaintes se sont tues, laissant place aux seuls bruits de la mer et des oiseaux de rivage. Le bois des croix pourrit. Les pierres tombales se fendent où les inscriptions mortuaires s'effacent. Ronces, chiendents et framboisiers sauvages ont envahi les tertres autrefois soigneusement entretenus. Les entourages brisés des sépultures ont perdu leurs balustres. Les cimetières peu à peu se fondent au paysage, disparaissant sous les entrelacs de branches couchées par les vents marins.

Pourtant, au beau milieu de la côte nord de l'île, une tombe résiste au temps. Il est là une vaste baie flanquée de hautes falaises, long cerne pâle de galets et de sable. En son centre, une rivière claire et sinueuse, près d'un court plateau. Sur le plateau, bien dégagée, paisible, presque coquette, une tombe blanche, seule, face à l'océan.

Quatre balustrades de bois en carré régulièrement repeintes par l'administration de l'île; au centre, parmi les fleurs sauvages, une dalle levée ; sur la dalle, gravés profondément dans la pierre, un nom : Angus McDonald et cette inscription : «*Né en Nouvelle-Écosse, mort ici en 1898 à l'âge de 89 ans**.»

Dans l'île, de son vivant, on l'appelait plutôt Peter, le vieux Peter...

*

* *

La grande baie marine est restée la même, calme et sauvage, à bien peu de chose près identique à ce qu'elle était lorsque McDonald la découvrit il y a cent cinquante ans. La mer harcèle la même pente douce de galets où, au gré des tempêtes, s'accumulent des troncs blanchis par le sel, bois flotté aux formes angoissées tendant leurs moignons vers le ciel. L'air est toujours peuplé de ces grands oiseaux blancs aux cris gutturaux se disputant quelque coque de crabe ou de homard ou l'intérieur d'un

---

*   L'inscription sur la pierre tombale de McDonald est assez surprenante, puisqu'elle est, à notre connaissance, erronée. Peter McDonald est mort à un âge fort avancé à propos duquel les quelques documents d'archives dont nous disposons ne concordent pas. Mais la date de sa mort, elle, semble être, hors de tout doute 1900, au mois de janvier ou février.

Georges Martin-Zédé, dans sa chronique non publiée mais disponible aux archives de l'île (*L'Île ignorée*, journal de l'île d'Anticosti), situe l'histoire de l'hospitalisation de Peter McDonald dans sa quatrième campagne, celle de 1899. Il mentionne la mort du vieil homme dans sa cinquième campagne, celle de 1900. Il y relate avec précision la fuite du vieux Peter, la découverte de son corps par Richard Francis et le rachat officiel de sa propriété audit Francis. Admettre la véracité de la date sur la pierre impliquerait donc que Martin-Zédé se soit trompé avec constance dans ses diverses mentions de cette histoire. La chose est improbable, tant le journal de Martin-Zédé est d'une grande rigueur historique.

Concernant la tombe, Martin-Zédé écrit dans ses mémoires : «Je fis enterrer le père McDonald décemment près de sa maison, avec une *croix* où son nom et le temps où il avait résidé dans cet endroit étaient mentionnés.» À l'évidence, il ne s'agit pas de la pierre tombale aujourd'hui visible à la baie McDonald de l'île d'Anticosti. Cette pierre est d'une date plus récente, justifiée sans doute par la louable intention de quelque gestionnaire de l'île de perpétuer le souvenir du vieux Peter.

Notre hypothèse est que l'administration se sera légèrement trompée dans les dates. On peut estimer que la croix, très certainement de bois, évoquée par Martin-Zédé aura subi le sort des autres sépultures de l'île situées en bordure de mer et que la lecture de l'inscription qui y figurait était fort difficile lorsqu'on décida de la changer pour une dalle levée. (N.D.A.)

oursin éventré dans les goémons encombrant le rivage. Les loups-marins se couchent sur les mêmes rochers à marée basse, roulant leur puissante et cylindrique bedaine au soleil, tandis qu'au large, insensible et silencieuse, passe une baleine.

Dans la baie, la rivière, impétueuse en amont, s'élargit en un large méandre aux eaux toujours calmes, même au plus doux du printemps quand les torrents qui la nourrissent charrient les flots de dégel et les glaces de débâcle.

McDonald avait construit sa cabane en rondins face à la mer. Il vivait là seul, personne ne sachant au juste depuis combien de temps. Au moins cinquante ans disaient les plus vieux de l'île. L'ermite ne parlait à personne, surtout pas à ses plus proches voisins, les squatters de Baie-du-Renard, soixante milles plus à l'est, qu'il n'aimait pas et qui le redoutaient. Faut dire que l'homme était farouche et réputé misanthrope.

Pas un habitant de l'île pour savoir exactement à quel moment, comment et pourquoi McDonald s'était installé dans cette baie. Certains disaient que le bateau où il était pêcheur y avait fait naufrage au milieu du siècle et que, seul survivant, il avait été recueilli pas des Indiens alors de passage dans l'île. Il aurait vécu là un moment avec eux, restant seul au départ de ces nomades. D'autres croyaient plutôt ce pasteur anglican du nom de Whiteside qui racontait qu'un jour, au début des années 1880, ayant accosté dans la baie, il l'avait brièvement rencontré en compagnie d'une vieille femme qui vivait avec lui. Le vieux grognon aurait vite prétexté avoir affaire et les aurait laissés là, le pasteur et la vieille dame, à prier dans le sable...

Il y avait du vrai dans les deux histoires. Le vieux Peter avait pris l'habitude de venir pêcher au large de l'île d'Anticosti alors qu'il était marin, dans la première moitié du siècle. Tous les printemps, au départ des glaces, il quittait son village de Pictou, en Nouvelle-Écosse, et, avec quelques autres, s'en venait pêcher la morue et le flétan dans le golfe. Une année, peu avant 1860, ses compagnons et lui s'étaient trouvés pris dans une mauvaise tempête sur la côte nord-est de l'île. Après mille difficultés, évitant les hauts fonds et les écueils des caps voisins, ils s'étaient ancrés dans la vaste baie.

Les marins s'étaient bâti un abri de fortune, le temps que la tempête se calme. Tandis que les autres s'y reposaient, lui avait marché le long de la rivière déserte, y avait vu des fosses à saumons, avait levé des gélinottes, des canards, suivi des traces de bêtes à fourrure... La mer redevenue belle, quand les pêcheurs de Nouvelle-Écosse repartirent, lui, McDonald, savait qu'il reviendrait.

L'été suivant, seul cette fois, il construisit sans en rien dire, sur le plateau à l'embouchure de la rivière, une maisonnette simple et solide, taillant des troncs dans la forêt voisine d'une futaie exceptionnellement haute pour Anticosti. Et l'automne venu, solitaire et farouche, il resta.

Ce premier hiver lui parut facile, tant et si bien qu'au printemps suivant il reprit son bateau, s'en retourna chez lui à Pictou et réussit à convaincre sa femme de l'accompagner dans la baie déserte. Elle vint, et les deux allaient vivre ensemble, seuls dans ce site grandiose et sauvage, pendant près de trente ans, heureux, peut-être pas, mais bien, de cette satisfaction résignée que procure, saison après saison, la constatation que l'on survit de ses seules activités, sans rien devoir aux autres, sans rien savoir d'eux...

Les années passant, la vieille dame eut de plus en plus peur du froid, des vents, des glaces, des tempêtes, peur de son âge et de celui de son homme. L'été suivant cette visite du pasteur Whiteside, en 1884, ses soixante-dix ans passés, elle monta à bord d'un bateau de pêcheurs de son pays et s'en retourna à Pictou. Le vieux gronda, comme à son habitude, fit une épouvantable colère, mais la laissa partir, plus courroucé qu'elle ait pu envisager de vivre sans lui qu'inquiété par la solitude dans laquelle elle le laissait.

Rien ne put le décider à la suivre, même pas cette certitude qu'elle avait, qu'elle lui dit, qu'une de ces prochaines saisons on le retrouverait mort, seul dans sa baie. Cela, lui aussi le savait. Mais il ne quitta pas sa rivière.

De cette date et pour les quinze années qu'il lui restait à vivre, il ne parla pratiquement plus. Le plus souvent, il chassait ceux qui souhaitaient accoster près de chez lui ou leur tournait le dos. La chose aurait pu mal tourner lorsque des Français de France, en 1895, devinrent les propriétaires d'Anticosti. Un beau jour de juillet cette année-là, le vieil homme vit avec étonnement, un élégant remorqueur à vapeur portant le nom d'*Eurêka* sur ses flancs mouiller dans la baie, au large en face de sa cabane. Intrigué, il s'avança sur la plage, ce qu'il n'aurait certes pas fait s'il s'était agi d'un de ces minables rafiots que construisent les quelques pêcheurs de l'île. Un grand type à l'air bourru et sûr de lui descendit le premier de la chaloupe qui accosta devant lui. Il salua l'ermite fort civilement, dans un anglais presque parfait, déclarant s'appeler Georges Martin-Zédé. Il représentait, avait-il expliqué, les intérêts d'un Français du nom d'Henri Menier qui envisageait d'acheter toute l'île d'Anticosti. Le vieux Peter ne lui en avait pas laissé dire davantage, avait grommelé quelques mots inintelligibles et l'avait planté là sur la plage, lui manifestant en ours qu'il était le peu d'envie qu'il avait de lui parler.

Le vieux aurait été surpris de savoir que l'austère Martin-Zédé avait souri.

L'année suivante, à la mi-juin, un autre bateau autrement plus important, un grand trois-mâts d'acier armé comme un navire de guerre, s'était ancré au même endroit dans la baie. Deux hommes cette fois étaient descendus à terre, ce grand Martin-Zédé derrière un barbu costaud et autoritaire, habillé de sombre et cravaté comme un premier ministre, Henri Menier lui-même, l'un des industriels les plus puissants d'Europe, l'un des hommes les plus riches du monde d'alors. L'aurait-il su que le vieux Peter n'en aurait eu cure. Il avait longuement observé de la porte de sa cabane l'arrivée du voilier et la mise à l'eau de la chaloupe où les deux hommes avaient pris place. Quand la barque fut parvenu près du rivage, il avait ostensiblement tourné les talons, pris sa carabine et disparu dans la forêt derrière chez lui. Il n'avait rien à leur dire à ces deux-là pas plus qu'aux autres! Qu'ils aillent tous au diable!

Ce jour-là, Martin-Zédé avait expliqué à son ami Menier qu'il n'y avait pas à s'en faire avec ce McDonald, qu'il habitait dans cette baie depuis plus de trente ans, donc qu'il y avait des droits acquis. Mais, ajouta celui que le chocolatier français avait nommé directeur général de l'île d'Anticosti, à quoi bon envisager de le flanquer dehors comme il faudrait le faire avec les squatters de Baie-du-Renard. Le père McDonald était peut-être un «emmerdeur», mais ce n'était pas un mauvais homme ni un fauteur de troubles. Il était très vieux, un jour ou l'autre il casserait sa pipe et il serait bien temps alors de régler la situation avec sa succession s'il advenait que des héritiers se présentent à l'île.

Les années passèrent. Un jour de l'été 1899, des gardes de Menier se rendirent à la cabane du vieux comme ils le faisaient assez régulièrement, sur l'ordre de Martin-Zédé, pour s'enquérir fort poliment de lui. Ce jour-là, le bonhomme n'était pas en forme. Il les reçut encore plus mal qu'à l'accoutumée, bougonnant qu'il se sentait mal et exigeant crûment qu'on lui fichât la paix. De retour à Baie-Ellis, le seul village de l'île à cette époque, les gardes avisèrent le directeur général de l'état du vieux, émettant l'opinion qu'ils doutaient fort qu'il pût passer seul l'hiver suivant.

Les gens du village n'aimaient pas trop Georges Martin-Zédé. L'homme était du genre hautain, cassant, grand seigneur. On le trouvait froid et intransigeant. On le savait de plus assez violent. On redoutait ses colères. Bref, on le craignait. Aussi, beaucoup furent drôlement surpris de constater que le grand Français était allé lui-même chercher McDonald et surtout qu'il avait su convaincre le vieil ermite de venir passer la saison froide au village.

162

Tout le monde fut soulagé de voir ce vieux dont on plaignait au fond la solitude installé confortablement à l'infirmerie du docteur Schmitt.

★
★ ★

Baie-Ellis, 30 juillet 1899

Très cher Henri,

Ma quatrième campagne à Anticosti s'achève. Quelques travaux à terminer dans la baie Ellis pour mieux vous soumettre cette idée que nous puissions y creuser un port dans la vase. Je vous reviendrai là-dessus très prochainement et de vive voix. Je prendrai le bateau, «Le Touraine», à New York, le 5 août et devrais être le 15 à Paris. J'irai immédiatement vous rendre compte de cette nouvelle campagne de travaux.

Aujourd'hui, laissez-moi vous entretenir d'un fait mineur qui saura, je le crois, retenir votre intérêt. Il concerne ce vieux bonhomme McDonald qui réside dans une baie au nord de l'île. Laissez-moi le rappeler à votre souvenir.

Il devait avoir autour de quatre-vingt-cinq ans lorsque je l'ai rencontré pour la première fois, au cours de ma tournée d'exploration de l'île, il y a déjà cinq ans de cela. Nos gens de Baie-Ellis qui m'accompagnaient sur l'«Eurêka» m'avaient expliqué que dans cette baie vivait depuis quasiment un demi-siècle ce vieil ermite écossais dont ils savaient bien peu de chose. En fait, le vieux s'était fait toute une réputation de grincheux pas commode et les habitants de l'île, francophones comme anglophones, préféraient éviter d'accoster dans son coin. Moi, bien sûr, je n'avais aucune raison de le craindre, aussi était-ce par curiosité et avec un intérêt réel que j'avais demandé au capitaine de mettre une chaloupe à l'eau pour aller saluer notre homme et, si l'occasion se présentait, le sonder un peu sur ses intentions de nous vendre ou non ses possessions dans l'île si nous confirmions nos hypothèses d'achat.

Cette fois, le bonhomme m'avait reçu, entendez par là qu'il vint à ma rencontre sur la grève et accepta mon salut, bougonnant quelques phrases à peine audibles en guise de réponse. C'était un drôle de type, encore très imposant pour son âge. Sûr qu'au temps de sa maturité ce devait être une force de la nature. Presque aussi grand que moi, tanné comme un cuir, de longs bras noueux, rougeaud, costaud, il vous avait une barbe énorme, qui s'étendait sur sa poitrine jusqu'à la ceinture, lui donnant l'air du convict Ayrton dans «Les enfants du capitaine Grant»...

Pas commode, cela dit, le bonhomme! J'avais à peine eu le temps de lui expliquer que vous envisagiez acheter l'île qu'il me tournait le dos, pas intéressé une miette à en entendre plus. Au début, il m'avait bien écouté un peu, visage fermé, grognant, se balançant d'une patte sur l'autre. Puis d'un coup, j'ai bien dû me rendre à l'évidence que je parlais dans le vide. Il avait tourné les talons, rentrait dans sa masure en rondins et me claquait sa porte au nez avec fracas. Aurait-il eu toute la force de sa jeunesse, aurais-je été seul, sans marins m'accompagnant, et de constitution plus frêle, que j'ai bien l'impression qu'il m'aurait remis à la mer «manu militari». Mais là, conscient des limites de son âge, le vieil Écossais ne pouvait que m'étaler son mépris et me bouder... et le bougre ne s'en priva pas...

Vous vous souviendrez, Henri, qu'il allait adopter la même attitude lorsque nous passâmes dans sa baie avec la «Bacchante» à votre premier voyage dans l'île. J'avais alors, sans succès, tenté de vous le présenter: un ours, un véritable ours vous dis-je!

Figurez-vous qu'il y a quelques jours on m'a avisé que le bonhomme était fort mal en point et ne passerait probablement pas le prochain hiver. J'ai pris sur moi d'essayer quelque chose, pour son bien. Ce n'était pas humain de le laisser là tout seul au froid de sa cabane. Il y a deux jours, j'ai décidé d'aller lui rendre visite. J'ai prétexté une tournée d'inspection à la pointe aux Esquimaux au nord de l'île et j'ai fait appareiller le «Savoy».

J'ai trouvé notre homme chez lui, affaibli par une mauvaise toux, qui le retint, dans un premier temps, de me chasser comme il en avait probablement grande envie. J'entrai d'autorité, le verbe haut, la parole compatissante. L'œil furibard, le vieux ne dit rien sous cet assaut de bonne amitié.

J'avais pris soin de me munir d'une solide bouteille de rhum et de deux verres. Je lui conseillai d'y goûter sous le vertueux prétexte que cela serait sans doute bon pour calmer la toux qui ne cessait de le harceler. Le vieux gaillard ne détestait pas le rhum. Son deuxième verre proprement sifflé, il a bougonné deux ou trois mots incompréhensibles qui s'adressaient sans doute plus à la bouteille qu'à moi. Au troisième, j'ai cru le sentir mieux disposé. C'est en lui servant le quatrième que je lui ai proposé de l'emmener se faire soigner à l'infirmerie de Baie-Ellis.

Je vous ferai grâce des détails, mais ce n'est que la bouteille entièrement bue que j'ai fini par lui arracher ce qui pouvait ressembler à un accord... ou peut-être s'était-il endormi juste avant de dire oui, toujours est-il qu'on l'a enroulé dans ses couvertures et que les matelots l'ont emmené dans une cabine du «Savoy» où il a dormi comme un bébé tout au long du voyage vers le village.

Je l'ai confié hier au toubib qui m'a promis de veiller sur lui. Je l'ai assuré, comme il m'en faisait la demande, qu'il serait nourri *au phoque, une assez rude nourriture, croyez-moi Henri, mais il ne mange que cela.*

Voilà, très cher ami, une bonne chose de faite, je le crois. Au printemps, si vous confirmez comme je l'espère de tout cœur votre intention de venir dans l'île, je vous présenterai le bonhomme. C'est le genre d'homme dont, je crois, vous apprécierez la nature, sinon le coudoiement. Nous verrons ensuite à le faire ramener chez lui, quitte à l'héberger de nouveau à l'hôpital l'automne prochain.

L'histoire serait belle, non, que l'on réussisse à intégrer le vieil ermite dans notre petite communauté?

Georges Martin-Zédé

*
* *

Martin-Zédé, comme chaque année, repartit passer l'hiver en France. Il ne devait apprendre la fin de l'histoire du vieux Peter qu'au mois de mai suivant. L'irascible bonhomme avait donné bien des soucis au bon docteur Schmitt. Il se moquait des soins qu'on lui prodiguait, tournait en rond dans l'infirmerie, s'ennuyait en regardant la mer. On se rendit vite compte que, s'il en avait l'occasion, il n'hésiterait pas à prendre la fuite. Alors, mine de rien, on avait mis ses affaires sous clé, on le surveillait, on fermait les portes, on évitait de le laisser longtemps seul...

Cela dura ainsi jusqu'au mois de janvier suivant. Un jour de grande tempête de neige où l'on voyait à peine à l'extérieur, il demanda quand même à faire un petit tour dehors. Dans ces conditions épouvantables, on jugea qu'il ne pourrait aller bien loin et personne ne crut bon de l'accompagner. On lui donna ses bottes, ses raquettes et son manteau de peau de phoque. Lui prit sans qu'on le remarque la besace qu'il gardait sous son lit. Les rares passants qui le croisèrent dans le village pensèrent qu'il voulait se promener un peu, marcher dans le vent devant la mer, ce qu'il aimait faire à l'occasion. On le laissa s'éloigner... Plus personne ne devait jamais le revoir vivant.

Le vieux l'attendait, cette tempête. Il savait que, la neige tombant, on ne pourrait suivre ses traces ni le rattraper. Qui aurait pu penser au village qu'à quatre-vingt-dix ans presque faits il s'était mis dans l'idée de retourner chez lui, cent kilomètres au nord-est de là, à pied dans la tempête, sans boussole ni chemin?

Il neigea trois jours durant, recouvrant ses traces. Il ne cessa de marcher pendant ce temps, s'éloignant mille après mille de Baie-Ellis. Il allait avancer ainsi pendant près de huit jours, dormant quand, la nuit depuis longtemps tombée, il s'écroulait de fatigue dans des fourrés de bois denses qui l'abritaient du vent. Levé dès l'aube, au gel engourdissant ses articulations usées, il repartait nord-est. De temps à autre, pour tenir, il mastiquait des morceaux de viande de phoque séchée dont, en cachette, il avait fait abondante réserve pendant décembre. Son esprit était entièrement concentré sur son but: sa cabane. Il savait qu'il y trouverait ce dont il avait besoin pour passer cet hiver: celui-là comme tous ceux qu'il avait traversés depuis qu'il s'était établi dans sa baie.

Parfois, son pas vacillait. Sa main raidie s'agrippait au bâton dont il s'aidait pour retrouver sous la neige les pistes de l'été. Le souffle lui manquait. Plusieurs fois, il tomba. Il ne comptait plus les nuits, trouvait mal le sommeil qu'il lui aurait fallu pour récupérer. Mais au plus profond de lui, la colère attisait sa volonté. Il saurait leur montrer à ces imposteurs, à ces voleurs de Français, qui était McDonald! Plus jamais il ne ferait l'erreur de parler à ces gens-là. C'est avec sa carabine qu'il les accueillerait à la baie s'ils avaient l'audace d'y revenir. Tout cela était à lui, la baie, la rivière, la cabane, la forêt où il avait coupé des arbres. Il fallait qu'il y retourne pour établir à tout jamais ses droits sur ce désert. Et pas après pas, effort après effort, le vieux avançait...

Un matin, il atteignit un mince ruisseau gelé. Il eut une espèce de sourire sous son invraisemblable barbe couverte de glaçons. Qui d'autre que lui savait que ce ruisseau-là se jetait dans sa rivière ? Il le suivit. Dès lors, le vieil homme sut qu'il réussirait.

Mais le mal dans sa poitrine grandissait. Sa marche était de plus en plus difficile, ses haltes, de plus en plus nombreuses. Ses pieds, d'abord douloureux, devenaient insensibles, ce qui, de tous les signes de mortelle fatigue que lui donnait son corps, était celui qui l'inquiétait le plus...

Un grand aigle à tête blanche s'envola devant lui quand enfin il déboucha dans sa baie. Encore quelques pas et il vit la mer. Une autre fois, yeux à demi fermés dans le soleil, il admira la courbe quasi parfaite du rivage, les falaises crayeuses se découpant dans le ciel. Il faisait doux. Des goélands criaillaient. Le vent, pour une fois léger, sentait le goémon comme en mai. Le vieil homme savait qu'il ne verrait pas le prochain printemps. Qu'importe : il avait réussi ! Il rentra chez lui et entreprit d'allumer son poêle...

À Baie-Ellis, après plusieurs jours d'absence de McDonald, il devint évident aux habitants que le bonhomme ne reviendrait pas à l'infirmerie. On pensa qu'il avait dû avoir une attaque au cours de sa dernière promenade. On organisa des recherches à proximité du village, sans succès. Devant l'inutilité de ces efforts, quelques-uns commencèrent à soupçonner le vieux Peter d'avoir pu décider sans en rien dire de retourner tout seul chez lui dans sa lointaine baie. Au mois de mars, le chef des guides de l'île, Richard Francis, et un de ses hommes, Alfred Martin, histoire d'en avoir le cœur net, profitèrent d'un long redoux pour aller jusqu'à la maison du vieillard en passant par la côte.

Arrivés sur les lieux, ils constatèrent que tout était calme, sans traces dans la neige autour de la cabane. Pas de fumée sur le toit non plus, de la glace aux fenêtres. Ils déblayèrent la neige obstruant la porte et entrèrent dans l'abri pour se trouver face au dos d'un fauteuil. McDonald était assis dedans, les pieds dans un seau, mort. Sur la table à côté de lui, des lettres pour sa famille à Pictou et un testament griffonné sur trois lignes disant qu'il léguait ses quelques biens de l'île et sa cabane à celui qui trouverait son corps.

Ses lettres écrites, le vieux marin s'était dit qu'il pouvait mourir. Il se sentait pris d'une grande faiblesse.

Un ours sorti de sa tanière d'hiver rôdait autour de la maisonnette. Il n'avait pas la force de prendre son fusil pour l'abattre. Il se déchaussa, retroussa ses pantalons, s'assit dans sa chaise berçante et trempa ses pieds insensibles dans un seau d'eau chaude où il avait mis quatre grosses cuillerées de moutarde : un remède de son enfance... Il regarda un à un ses orteils blancs, décharnés et velus, soupira bruyamment et ferma les yeux... Qu'importait qu'il meure maintenant, il mourait chez lui. Il n'était pas mécontent de lui.

L'eau, peu à peu, se changea en glace et figea autour de ses chevilles... Peter McDonald était mort.

*
* *

Baie-Ellis, 14 mai 1900

Très cher Henri,

Me voici donc de retour à Anticosti depuis deux jours pour cette cinquième campagne de nos activités d'établissement sur ce territoire. Ma traversée de l'Atlantique s'est fort bien déroulée. J'ai eu dès mon arrivée une importante rencontre à Ottawa avec le premier ministre, Sir Wilfrid Laurier, qui m'a chargé de vous transmettre son meilleur souvenir. Je vous adresserai dans les jours à venir un rapport détaillé concernant cette rencontre. J'ai retrouvé votre île telle que je l'avais laissée à l'automne précédent. Tous nos gens ici furent fort déçus d'apprendre que, pour une deuxième année d'affilée, Henri Menier ne les honorerait pas de sa présence. J'ai expliqué que vos affaires vous retenaient à Noisiel, que vous ne pouviez être de ce voyage, mais qu'il était bien dans vos intentions de venir longuement séjourner ici l'année prochaine. Qu'importe ce que j'ai pu dire, ces gens vous aiment, Henri, et ils étaient bien désappointés.

Parmi nos affaires courantes, il en est une que je souhaite vous rapporter immédiatement. La chose n'est certes pas de la plus grande importance. Elle concerne la mort du dénommé Peter McDonald, le vieil ermite dont je vous parlais dans ma dernière lettre de l'année passée. Je vous en reparle dès aujourd'hui, car je voudrais votre sentiment sur cette idée que j'ai de donner officiellement son nom, McDonald, à la rivière à saumons qui débouche dans cette baie et qui, pour l'heure, n'est pas nommée. J'aimerais votre approbation pour pouvoir procéder rapidement à cet effet.

Cette rivière est intéressante à plus d'un titre. Moins bonne que la Jupiter pour le saumon, elle est, cela dit, riche en bonnes fosses très facilement accessibles depuis le littoral. C'est, en amont, un bon torrent l'été qui sinue en forêt et se perd à sa tête dans quelques minuscules filets d'eau que je n'ai jamais réussi à complètement remonter. Son embouchure est un site absolument superbe. J'ai pour projet d'y établir dans le futur un camp permanent que nous pourrions louer avec profit à des amateurs de pêche aux saumons. Nous pourrions, du reste, construire cette villa à l'endroit même où le père McDonald avait construit sa cabane, soit à l'embouchure de la rivière. Le vieux avait, n'en doutez pas, choisi le meilleur emplacement de la baie.

Sa mort, très cher ami, sa mort me touche à un point qui me surprend moi-même. Vous me connaissez comme bien peu sentimental, n'est-ce pas, et voyez-vous, là je me sens réellement chagriné et pourtant je ne connaissais pratiquement pas cet homme. À vrai dire, je crois qu'on était un peu du même bois, lui et moi, des mal-engueulés, des solitaires, bien plus enclins à décider seuls ce qui est bon pour nous qu'à négocier avec les autres. Tous les Anglais de l'île, vous le savez bien, hélas, nous sont hostiles. Ce McDonald, comme les autres, pas plus, pas moins, mais lui avec du panache, du style. Il ne chialait pas, ne menaçait pas, n'ameutait pas les quatre coins de la terre par des jérémiades... Non, fort de ses cinquante années de survie solitaire, il nous ignorait, nous boudait. Lui aurait-on offert une fortune pour sa baie qu'il ne nous aurait pas écoutés davantage, j'en ai la conviction... Et moi, eh bien, moi, je trouvais ça assez sympathique, je le respectais, le vieux guerrier! C'est pourquoi j'étais fier de moi d'avoir réussi à l'amener au village pour passer cet hiver.

Figurez-vous, Henri, figurez-vous que ce vieil obstiné en avait décidé autrement. Il a profité d'une grosse tempête de janvier pour fausser compagnie au toubib et s'en retourner à pied jusqu'à sa cabane, oui, vous avez bien lu, à pied. Et tenez-vous bien, le bougre a réussi! Je peux dire que là il nous en a à tous bouché un drôle de coin! Il est parti, comme ça, tout seul, le plus simplement du monde: il rentrait chez lui. Pas de chemin, pas même de sentier, rien que le bois, plus d'une centaine de kilomètres de bois. Et vous les connaissez, Henri, ces bois d'Anticosti, rien que des conifères serrés, des arbres morts en travers, un sol glacé, inégal, difficile, de la neige à mi-mollet, mais le vieux gredin avait décidé de rentrer à la maison et il est rentré.

Pas de véritable équipement, pas de boussole, des hardes, des semelles de peau de phoque, des guenilles roulées autour des mains en guise de gants... et des raquettes! Vous n'avez pas encore essayé ça, des raquettes, Henri! Je vous en ferai donner si un jour vous êtes dans l'île par temps de neige. Vous m'en direz des nouvelles! Vous me savez, n'est-ce pas, bon marcheur, pas facile à fatiguer, eh bien, je vous jure que je suis incapable de marcher chaussé de raquettes plus d'une heure sans être éreinté. Lui partit avec l'idée de faire plus de cent kilomètres d'un itinéraire qu'il ne connaissait pas. Cent kilomètres, pensez-y un peu, de troncs serrés où les bougres de raquettes accrochent, d'arbres tombés où elles se coincent, de glaces sur lesquelles elles glissent, d'amas de neige molle dans lesquels elles s'enfoncent... et, je vous l'ai dit, il allait réussir.

En mars, deux hommes à moi, Richard Francis que vous connaissez et Alfred Martin, un de ses gardes, sont allés à sa cabane et l'ont trouvé là, raide mort, mais revenu chez lui. Du coup, Francis a hérité de son lot, le bonhomme ayant laissé ses dernières volontés en évidence à côté de lui et donnant tout à celui qui le trouverait. Dès hier, je lui ai racheté ces droits en votre nom pour deux cents dollars. Je lui ai demandé par ailleurs d'enterrer le corps devant la cabane, entre mer et rivière, d'y mettre une croix en faisant les choses de telle sorte qu'elles inspirent le respect et le recueillement et de veiller à l'avenir à l'entretien de la tombe.

Nos vies quoi qu'on en dise sont si creuses, si compromises par la facilité, la routine et les mesquineries, si loin des épopées que l'on rêvait enfant ou de celles qu'on raconte ! Lui a su faire de sa mort une aventure. Fallait-il aimer la vie pour ainsi provoquer sa mort ! Il a consciemment troqué les quelques vaines années qu'il lui restait peut-être à vivre contre l'ivresse d'emmerder une dernière fois le monde et de vivre une ultime et mortelle fois l'aventure. Ç'aurait été tellement plus facile pour lui de renoncer, d'attendre confortablement la camarde au chaud à l'infirmerie ou de se laisser prendre par elle sur son terrible chemin de retour ! Mais non, le bonhomme a tenu et a réussi l'impossible. Pour quoi ? pour rien, pour s'offrir l'enivrant opium de mourir seul, chez lui, les pieds dans son seau, ultime pied de nez à notre médecine, à notre volonté de l'aider...

172

Il se sera grisé, le bougre, à nous fermer une autre fois sa porte au nez. Cela fait, il pouvait mourir... Et quand il s'assit cette ultime fois là, il s'assit le dos à la porte par où il savait que nous finirions par venir, nous manifestant une dernière fois, d'outre-tombe, son indépendance et son hostilité...

Alors, mon cher Henri, l'appellerons-nous «McDonald» la rivière de ce vieux seigneur qui ne nous aimait pas?

Georges Martin-Zédé